au
Joint français

**TRAVAUX
ET RECHERCHES
DE SCIENCE
POLITIQUE**

N° 34

une documentation
sur les publications de la
Fondation nationale des sciences politiques
sera envoyée
sur simple demande adressée au
Service des publications
Fondation nationale des sciences politiques
27, rue Saint-Guillaume
75341 Paris Cedex 07

JACQUES CAPDEVIELLE
ELISABETH DUPOIRIER
GUY LORANT

la grève du Joint français

LES INCIDENCES POLITIQUES D'UN CONFLIT SOCIAL

fondation nationale des sciences politiques/armand colin

471830

Nous remercions tous les militants politiques et syndicaux de Saint-Brieuc pour l'accueil qu'ils ont bien voulu nous réserver, pendant et après le conflit. Qu'ils ne voient pas dans cet ouvrage un jugement sur leur action, mais une lecture de l'événement, parmi d'autres lectures possibles.

L'illustration de la couverture est une affiche de Mai 68
Cartographie André Leroux

© 1975 LIBRAIRIE ARMAND COLIN
et FONDATION NATIONALE DES SCIENCES POLITIQUES
ISBN 2-7246-0326-5

TABLE DES MATIÈRES

INTRODUCTION

LUTTE SYNDICALE ET LUTTE POLITIQUE : UN DÉBAT A LA FOIS ANCIEN
ET ACTUEL AU SEIN DU MOUVEMENT OUVRIER FRANÇAIS

Depuis la distinction esquissée par Marx dès 1865 dans *Salaire,
prix et profit* entre une lutte immédiate, quotidienne, contre les
conséquences du système capitaliste, et une lutte à long terme
s'attaquant aux fondements de ce système, l'articulation entre
lutte économique et lutte politique constitue un des plus constants
problèmes en discussion au sein du mouvement ouvrier. Dans le
cadre français, la tradition blanquiste obscurcit encore le débat,
dans la mesure où elle lui superpose — sans le recouper entièrement — une seconde interrogation concernant le rôle respectif
qu'il convient d'accorder, dans les luttes, aux minorités agissantes
et aux masses.

Sociaux-démocrates et syndicalistes révolutionnaires s'affrontent sur ces problèmes dans le cadre de la Seconde Internationale. Le succès de la révolution de 1917 et la mise en place
de la Troisième Internationale semblent trancher définitivement
le débat en subordonnant les luttes syndicales aux objectifs politiques des partis communistes, du moins pour la fraction révolutionnaire du mouvement ouvrier.

Après la seconde guerre mondiale, à la suite du redressement
économique et de l'ouverture de nos frontières à l'Europe de
l'Ouest, les fondements du système économique et social ne sont
plus remis en cause que par le PCF et les organisations de masse
que ses militants contrôlent. Modernisée, matérialisée dans le
contre-plan, l'hypothèse réformiste paraît s'imposer dans les
années 1960, rendant caduque la distinction entre lutte économique et lutte politique, du moins dans les termes léninistes où
elle était posée jusque-là. La conjoncture politique accroît encore
cette caducité : au nom du modernisme, on exalte les forces vives ;
pour de nombreux observateurs, les syndicats paraissent destinés
à supplanter le rôle des partis dans les pays capitalistes indus-
trialisés ; les clubs se multiplient et leurs animateurs, se réclamant de l'efficacité, préfèrent la confrontation de dossiers techniques à des discussions idéologiques qu'ils jugent dépassées [1].

1. Cf. MOSSUZ (Janine), *Les clubs et la politique en France*, Paris, Armand
Colin, 1970, p. 5-11.

Les événements de mai-juin 1968 renversent cette tendance, plaçant à nouveau le problème des rapports entre lutte politique et lutte économique au centre des débats entre les différentes forces politiques et syndicales de gauche. Trois facteurs contribuent à cette actualisation. Les succès remportés par les candidats de la majorité aux élections de juin, malgré l'ampleur de la mobilisation et du mouvement revendicatif des semaines précédentes, opposent au sein de la gauche partisans et adversaires d'une stratégie électoraliste. Cette opposition se cristallise, au niveau syndical, en 1971 avec le débat qui s'instaure entre la CGT et la CFDT sur les moyens de passage au socialisme et le modèle souhaité[2]. Enfin, à côté des grandes manœuvres traditionnelles des journées nationales d'action, on assiste, dès 1967, à un développement des luttes de harcèlement dans les entreprises et, après 1968, à une agitation politique croissante autour d'un certain nombre de grèves. Les militants communistes, qui étaient auparavant pratiquement les seuls militants politiques présents sur le terrain dans les conflits sociaux, se heurtent désormais à des militants du PSU et des divers groupes gauchistes. Les divergences syndicales — recours ou non à la violence, à l'illégalité, intransigeance ou souplesse dans la négociation, contenu des revendications — traduisent alors des divergences politiques. L'importance exacte de ce phénomène de politisation est difficile à mesurer. Les enquêtes sociologiques sont rares en la matière : à chaud, le choix du terrain (quels conflits retenir dès leur démarrage ?) et la méfiance légitime des acteurs ne facilitent pas la tâche de l'observateur. La quantification n'est guère possible[3] ; une approche qualitative a posteriori risque de ne saisir qu'un passé reconstruit, rationalisé[4].

Ce phénomène de politisation des grèves, s'il ne doit pas être exagéré[5], ne doit pas davantage être sous-estimé. Il permet un

2. Après l'entrée officielle de la CFDT dans le courant socialiste à l'issue de son XXXVe congrès confédéral, la commission exécutive de la CGT communique, le 1er avril 1971, pour discussion, à la CFDT et à la FEN un document intitulé *Thèmes de réflexion sur les perspectives du socialisme pour la France et le rôle des syndicats*. Le conseil national de la CFDT, réuni les 28 et 30 octobre suivants, adopte une réponse critique, *Pour un socialisme démocratique*, qui provoque à son tour, le 15 décembre, une réponse de la commission exécutive de la CGT : *Premières réflexions sur les positions respectives de la CGT et de la CFDT*.

3. L'étude de Claude DURAND et Pierre DUBOIS (*La grève. Enquête sociologique*, Paris, Armand Colin, 1975) n'échappe pas à cette difficulté : une revendication salariale peut, dans un contexte donné, traduire une contestation des conditions de travail. Sous quelle rubrique faut-il alors la répertorier ?

4. L'information journalistique demeure la source d'information essentielle actuellement si l'on veut faire une analyse globale des conflits sociaux. Malheureusement, la qualité de cette information est très irrégulière. La place accordée aux conflits sociaux varie considérablement d'un quotidien local à l'autre. La presse militante, très développée depuis 1968, sacrifie souvent l'exactitude des faits au romantisme de la cause ; les conflits sélectionnés ne sont pas toujours représentatifs de l'ensemble.

5. « A droite, en forgeant une image mythique de la grève revendicative d'hier et en lui opposant la politisation des conflits sociaux d'aujourd'hui, on semble préparer, au nom de l'ordre, une remise en question du droit de grève.

renouvellement de la question des rapports entre lutte économique et lutte politique, en substituant une approche pratique, empirique, à un débat théorique dont les termes n'avaient guère évolué depuis le début du siècle.

RADICALISATION DES LUTTES SOCIALES OU PRIMAUTÉ DE LA LUTTE POLITIQUE

Pour le PC, le PS et la CGT, cette politisation accrue concerne l'ensemble du monde du travail et résulte essentiellement d'un « aiguisement » de la lutte des classes, lié à la crise du capitalisme monopoliste d'Etat [6]. Pour le PSU et la CFDT, elle exprime un refus croissant, depuis 1968, de la division du travail et de la hiérarchie imposées par le capitalisme ; la crise actuelle serait autant sinon plus culturelle qu'économique [7]. Cette divergence quant à l'analyse de la crise des relations professionnelles se traduit par une véritable opposition au niveau des stratégies qui en découlent entre d'une part le PC et la CGT, de l'autre la CFDT. Le PS — peu présent dans les entreprises — et le PSU — absorbé par ses querelles internes — restent relativement en marge.

Tout en participant avec la CGT à des campagnes nationales interprofessionnelles (en particulier sur l'abaissement de l'âge de la retraite et la défense des immigrés), la CFDT privilégie les grèves d'entreprise dans lesquelles elle voit l'occasion, en laissant l'initiative à la base, d'amorcer une pratique autogestionnaire [8] ; de plus, le durcissement éventuel de ces grèves leur donne un impact auprès de l'opinion, ce qui permet aux cédétistes de populariser largement leurs positions. Il faut noter qu'elle ne parvient pas à élargir ces conflits au niveau du trust. Les travailleurs de Penarroya à Lyon n'ont pas obtenu que leurs cama-

Inversement, à l'ultra-gauche, où le désordre est souvent synonyme de nouveauté, la grève sauvage serait la révolte des masses révolutionnaires contre les appareils syndicaux sclérosés tout autant que la contestation du " réformisme " des centrales syndicales. » CAIRE (G.), « Permanence et nouveauté de la grève », *Etudes*, déc. 1972.

6. « Les conditions de vie et de travail deviennent de plus en plus dures aux travailleurs qui, à chaque instant de leur vie quotidienne, se heurtent aux méfaits, aux carences d'une politique conçue uniquement dans l'intérêt des monopoles capitalistes. ... Le mécontentement des travailleurs se généralise. D'autres catégories et couches sociales, elles aussi sacrifiées aux intérêts des grands groupes capitalistes, protestent et manifestent contre la politique gouvernementale. » Résolution de la commission exécutive de la CGT, 3 mars 1971, *Le Peuple*, 865, 16-31 mars 1971, p. 32.

7. « L'aliénation, comme conditionnement et absence de pouvoirs, est ainsi, pour la CFDT, à la fois le fondement et la conséquence de l'exploitation capitaliste. Cette analyse diffère radicalement d'une analyse marxiste classique qui voit dans l'exploitation (extraction de la plus-value par les propriétaires des moyens de production) le fondement unique de la société capitaliste. » RANVAL (P.), « L'autogestion de l'entreprise selon la CFDT », *Projet*, 53, mars 1971, p. 275.

8. Le slogan inscrit au-dessus de la tribune du XXXVIe congrès confédéral à Nantes est, à cet égard, significatif : « Vivre demain dans nos luttes d'aujourd'hui ».

rades de Saint-Denis soutiennent leur mouvement dans la grève, ceux du Joint français à Bezons ne se sont guère sentis concernés par les événements briochins. Les réticences de la CGT, peu soucieuse d'élargir des conflits dont elle n'a pas l'initiative et hostile à la présence d'éléments gauchistes, n'épuisent pas l'explication. Les ouvrières de la Coframaille à Schirmeck n'ont pas davantage été suivies par d'autres établissements du groupe Agache-Willot, dans lequel la CFDT bénéficie pourtant d'une implantation solide.

La CFDT est d'autant plus à l'aise dans ces grèves qu'elles sont bien souvent le fait de catégories récemment prolétarisées — sans tradition ouvrière, donc sans liens avec la sphère d'influence communiste — qui refusent leur univers de travail : « A côté des ouvriers qualifiés, fer de lance traditionnel des luttes, on a constaté une participation plus importante de catégories qui n'avaient pas été jusque-là à la pointe du combat ouvrier : femmes, ouvriers spécialisés, immigrés »[9]. Cette intervention de plus en plus fréquente des femmes — à la Samex (Millau) en mars-avril 1972, aux Nouvelles Galeries (Thionville) en avril-juin, à la SPLI (Fougères) en décembre, à la Coframaille en février-mars 1973, etc. — et des immigrés — à Penarroya et à Girosteel en février-mars 1972, à Renault-Billancourt en mars-avril 1973 — dans les luttes sociales place les « laissés pour compte » de l'expansion au premier rang de l'actualité. D'abord perçues comme des révoltes catégorielles et isolées de marginaux incapables de s'adapter à la société industrielle, ces grèves, par leur extension aux régions et aux industries les plus diverses, reçoivent une audience qui dépasse largement leur importance réelle par rapport à l'ensemble des conflits sociaux. Un enjeu politique nouveau apparaît : l'acceptation ou le refus de la division actuelle du travail par une catégorie en augmentation constante au sein de la classe ouvrière[10].

Même lorsque la revendication concerne exclusivement les salaires, c'est presque toujours une exaspération envers les conséquences d'une réorganisation du travail (travail posté, cadences et rendement, discipline intérieure, compression d'effec-

9. Interview d'Edmond Maire à l'AFP du 16 août 1972. Les ouvriers spécialisés recoupent en fait les deux autres catégories, les immigrés et les femmes étant généralement cantonnés dans l'industrie à des emplois d'OS.

10. **Evolution des effectifs d'OS par rapport à l'ensemble de la population ouvrière** (sources INSEE) :

	1954	1962	1968
Ouvriers (ensemble)	6 465 100	7 060 790	7 698 600
dont : contremaîtres	141 480	306 142	360 120
ouvriers qualifiés	2 856 300	2 286 459	2 606 680
ouvriers spécialisés	1 859 140	2 394 102	2 705 760
manœuvres	1 110 640	1 583 394	1 575 040
apprentis ouvriers	209 040	251 044	262 600
mineurs, marins et pêcheurs	288 500	239 649	188 400

tifs) qui est à l'origine de ces conflits. Cette exaspération explique aussi la détermination des grévistes une fois le conflit engagé. Partis de la base — postes de travail, équipes, ateliers — en dehors des instances traditionnelles — délégués syndicaux, comités d'entreprise, d'hygiène et de sécurité — refusant la « déshumanisation » du travail en miettes, à l'occasion anti-hiérarchiques, ces conflits ne peuvent qu'avoir l'appui de la CFDT.

Face à des situations locales où elle n'est que faiblement et récemment implantée, redoutant des « subterfuges patronaux » qui masqueraient, sans la supprimer, l'exploitation capitaliste [11], la CGT se trouve dans une situation inverse. Dans le cadre du système en place, la centrale de la rue La Fayette entend se limiter à un rôle strictement économique : la vente au meilleur prix de la force de travail. Elle refuse par exemple des revendications plus directement idéologiques comme la suppression du salaire au rendement. Par ailleurs, la CGT craint qu'en se prolongeant ces conflits ne dressent ces catégories surexploitées contre les non-grévistes — ouvriers professionnels, employés, maîtrise — et facilitent l'implantation de syndicats jaunes. Cette crainte semble remonter à l'échec de la grève du métro, en octobre 1971 [12]. Elle est d'autant plus vive que l'intransigeance patronale et gouvernementale s'accuse, les directions d'entreprises misant de plus en plus sur le pourrissement des conflits.

Enfin, ceux des responsables cégétistes qui appartiennent au Parti communiste ne tiennent guère, en prolongeant et en durcissant certains conflits, à fournir une tribune à la propagande des groupes gauchistes. On assiste en effet, à partir de la mise en place de comités de soutien popularisant la grève et ses objectifs au niveau de la localité ou de la région, à l'intervention de militants gauchistes (PSU, Cahiers de Mai, trotskystes, maoïstes, mouvements catholiques) extérieurs à l'entreprise. Cette solidarité parvient à rassembler des couches sociales jusque-là indifférentes,

---

11. De fait, dès octobre 1971, le courant moderniste du patronat, *Entreprise et Progrès*, prépare un rapport sur le problème des OS. L'année suivante, Taylor est le principal accusé aux assises du CNPF de Marseille. Des expériences d'« enrichissement des tâches » sont entreprises, limitées à certains ateliers, à la Télémécanique de Nogent-le-Rotrou, chez Peugeot-Mulhouse, Poclain, Renault, aux Fromageries Bel.

12. « Le gouvernement n'a pas abandonné son objectif de pousser les conducteurs à une épreuve de force en dressant contre eux l'opinion publique. Il espère encore leur infliger une défaite.

« Il s'agit d'une manœuvre grossière mais dangereuse pour les conducteurs, pour l'ensemble des personnels du métro, mais aussi pour tous les travailleurs. Il faut la déjouer ... .

« Le gouvernement démontre aux yeux du pays son attitude anti-ouvrière. Il n'hésite pas à plonger la population parisienne dans la gêne et à infliger de lourdes pertes à l'économie, sans rapport avec le coût des revendications, ceci dans le seul but de briser la résistance des travailleurs à sa politique rétrograde. Il a agi de la même façon avec les cheminots, les OS du Mans, les navigants de l'aviation civile et d'autres. C'est une tactique délibérée. » Déclaration du bureau confédéral de la CGT du 12 octobre 1971, *Le Peuple*, 879, 1-15 nov. 1971, p. 32. Huit jours plus tard, la commission exécutive adopte son document : *Pour une action syndicale responsable et efficace.*

sinon hostiles : paysans, enseignants, lycéens et étudiants, petits commerçants. Généralement bien accueillies par les grévistes, parce qu'elles leur apportent un appui matériel et moral, ces actions ne sont pas, en revanche, sans poser de problèmes aux organisations syndicales. Dans bien des cas, profitant du crédit dont leur soutien les dote auprès de travailleurs peu ou pas politisés, ces militants cherchent à prendre en main la conduite de la grève, substituant leurs propres mots d'ordre à ceux des syndicats, encourageant une attitude jusqu'au-boutiste dans les négociations.

Ces désaccords entre la CFDT et la CGT ne sont pas réductibles à des divergences tactiques conjoncturelles, ils reflètent une opposition de fond en ce qui concerne l'articulation entre lutte économique et lutte politique.

Si la CFDT estime « essentielle la distinction des fonctions respectives des syndicats et des partis »[13], elle refuse — théoriquement — de distinguer dans son action entre lutte économique et lutte politique : « L'action de la CFDT vise à la fois la satisfaction des revendications, la lutte contre le capitalisme, la construction d'une société socialiste, démocratique et autogestionnaire »[14]. Un projet socialiste diffus existe derrière certaines revendications — dénonciation de la hiérarchie par exemple — ou certaines formes d'action — conflit Lip — sans que les conditions politiques globales nécessaires à sa mise en œuvre soient prises en considération. La CFDT est de ce fait souvent conduite à privilégier objectivement la lutte économique, à « radicaliser » ses exigences immédiates.

La CGT, « en tant qu'organisation de masse », privilégie également la lutte économique, mais en reconnaissant aux partis politiques l'exercice « des responsabilités essentielles »[15], ce qui l'amène fréquemment, dans la pratique, à subordonner la conduite de la lutte économique aux nécessités de la lutte politique, telles qu'elle les apprécie à un moment donné.

Portée pédagogique d'actions ponctuelles, radicales, révélant l'iniquité du système économique et social en place et suggérant les grandes lignes d'une solution, ou suprématie d'une action d'abord centrée sur la conquête méthodique des manifestations institutionnelles du pouvoir politique ? Au niveau du discours, les deux stratégies ont leur cohérence et les positions apparaissent figées. Les pratiques et leurs enjeux concrets sont en revanche

13. « La position de la CFDT sur le programme PS-PC », *Syndicalisme Hebdo*, 1411, 21 sept. 1972, p. 1 (texte adopté par le bureau national du 14 octobre).
14. Article cité.
15. « C'est aux partis politiques qui se fixent pour but le socialisme qu'incombent les responsabilités essentielles. En tant qu'organisation de masse regroupant largement des travailleurs ayant des conceptions diverses, la CGT n'entend pas se substituer à ces partis et ne se fixe pas pour tâche de répondre à tous les problèmes qui se posent en vue du socialisme. » « Thèmes de réflexion sur les perspectives du socialisme pour la France et le rôle des syndicats », *Le Peuple*, 867, 16-30 avril 1971, p. 14.

plus contraignants. C'est au niveau de ces pratiques que nous nous situerons, en étudiant les incidences politiques de la grève briochine du Joint français.

Pourquoi privilégier la grève du Joint français ?

Les travailleurs du Joint français entrent en grève illimitée le 13 mars 1972, au moment où les retombées de l'affaire Overney [16] accentuent les clivages au sein du mouvement ouvrier.

Pendant une période qui dure pratiquement jusqu'à la journée nationale d'action du 23 juin, les relations sont particulièrement tendues entre la CGT et la CFDT. Alors que cette dernière organisation enregistre un durcissement des actions [17] et refuse une condamnation sommaire du gauchisme [18], Georges Séguy dénonce les « turpitudes gauchistes » [19]. La polémique est relancée par une interview d'Edmond Maire reprochant aux militants communistes de la CGT d'avoir pris « une attitude, non de responsables syndicaux, mais de responsables politiques » ; la CGT riposte en dénonçant « de telles insinuations calomnieuses » [20]. Si le débat est ensuite clos au niveau confédéral, il se poursuit dans les entreprises. A l'occasion de conflits longs et durs, menés avec l'aide parfois encombrante mais efficace de comités de soutien, la CFDT est au premier rang de l'actualité sociale, ce qui lui vaut dans certains cas d'être accusée de cultiver la grève pour la grève, de rechercher l'affrontement pour l'affrontement [21]. Ce

16. P. Overney, militant maoïste, tué par un gardien des usines Renault alors qu'il distribuait des tracts aux portes de l'établissement de Billancourt, en février 1972.

17. Editorial, *Syndicalisme Hebdo*, 1384, 9 mars 1972.

18. Edmond Maire, « L'ultra-gauche ne fleurit-elle pas souvent sur les insuffisances des organisations de classe ? » *Syndicalisme Hebdo*, 1385, 16 mars 1972.

19. *L'Humanité*, 6 mars 1972.

20. Cf. sur cette polémique *L'Humanité* du 8 mars 1972 et *Syndicalisme Hebdo* du 16 mars.

21. Ces accusations ne sont pas toujours nuancées, comme le montre cet extrait d'un tract diffusé par l'union départementale CGT de l'Isère en juin 1972 :
« Girosteel ! Penarroya ! Zig-Zag ! Nouvelles Galeries Thionville !...
Ces entreprises que l'on aimerait pouvoir présenter comme des exemples de lutte ouvrière, n'ont été hélas, que trop souvent le champ d'expérimentation de certains dirigeants CFDT et de groupes dits " révolutionnaires " qui, spéculant sur le mécontentement justifié des travailleurs, ont joué avec désinvolture avec leur sort et celui de leur famille.
Trompés par ces beaux parleurs, abusés par leurs flatteries et une " solidarité " dont le but véritable est de les transformer en mercenaires de la grève, les travailleurs sont entraînés dans des conflits dont le seul titre de gloire est la durée ! et dont les résultats sont, par contre, sans commune mesure en regard des sacrifices demandés.
Mais qu'importent les résultats à ces nouveaux " théoriciens " de la classe ouvrière ! ce qui compte à leurs yeux, c'est la grève pour la grève, l'agitation avant tout, et un conflit chasse l'autre. ...
Des conséquences négatives
Loin d'avoir aidé ces travailleurs à y voir clair dans le combat qui nous oppose aujourd'hui aux monopoles et à leur pouvoir ; loin d'avoir contribué à élever la conscience de classe, l'esprit de solidarité, de la communauté d'intérêts, nécessaires au développement de puissantes luttes unitaires de

raidissement des positions nationales respectives des deux confédérations durant le premier semestre de 1972 souligne leurs divergences. Il nous a semblé souhaitable d'en saisir les retombées pratiques en sélectionnant un conflit se déroulant pendant cette période.

L'usine de Saint-Brieuc, de par la composition de sa main-d'œuvre — en majorité féminine et composée d'OS — s'apparente aux établissements dans lesquels ont lieu, au même moment, des conflits de nature comparable.

Grève d'OS, intervenant dans une période d'exacerbation des divergences politiques et syndicales au sein de la gauche, ce conflit a auprès de l'opinion publique un impact qui le privilégie comme objet d'étude. L'importance de la solidarité effective qui se manifeste en faveur des grévistes est révélatrice de cet impact. On ne saurait trop insister sur cette importance, tant quantitativement que qualitativement. Quantitativement : 1 612 409 francs ont été versés au comité intersyndical de solidarité. Ce montant rend compte de la seule solidarité financière ; il faut y ajouter la solidarité en nature — produits alimentaires, repas gratuits aux enfants des grévistes, etc. — et les avantages consentis par des commerçants et des coopératives agricoles — ventes de leurs produits aux prix de gros ou aux prix coûtants. Qualitativement : la signification de cette solidarité, d'abord limitée à la Bretagne, puis élargie à l'ensemble du pays, évolue dans le temps et dans l'espace. Il n'y a pas « une » mais « des » solidarités aux travailleurs du Joint, chacune ayant un contenu idéologique spécifique. L'ordre d'apparition de ces solidarités, leur dépendance ou leur autonomie les unes par rapport aux autres, leur localisation géographique ou socio-professionnelle constituent autant d'indicateurs des incidences politiques de la grève.

Enfin l'abondance des matériaux disponibles constitue une dernière raison — non des moindres, compte tenu des difficultés d'accès à l'information dans ce domaine — pour retenir la grève du Joint. Deux ouvrages retracent l'histoire du conflit [22], deux journaux régionaux [23] lui ont consacré des articles quotidiens, l'ensemble de la presse nationale — écrite et parlée — a couvert l'événement. Les unions départementales CGT et CFDT ont tenu à jour un relevé quotidien des dons en espèces collectés

---

masse et de classe. L'agitation stérile et la prolongation inutile de certains conflits n'ont engendré que désillusion et désarroi.
Ces chants de victoire se sont transformés en chants funèbres pour ceux qui ont voulu ainsi jouer impunément avec le sort des travailleurs. Partout cela s'est traduit par un recul, voire dans certains cas comme GIROSTEEL et CATERPILLAR, par l'effondrement de la CFDT qui perd 50 % de ses voix aux élections professionnelles. ... »

22. PHLIPPONNEAU (Michel). *Au Joint français, les ouvriers bretons...*, Saint-Brieuc, Presses universitaires de Bretagne, 1972, 135 p., et LORANT (Guy), « La grève du Joint français », in *Quatre grèves significatives*, Paris, Ed. de l'Epi, 1972, p. 21-62.

23. *Le Télégramme* et *Ouest-France*.

en faveur des grévistes, constituant, à notre connaissance, un document sans équivalent. Nous avons recueilli sur place la quasi-totalité des tracts d'origine politique, syndicale et culturelle diffusés pendant la grève, de même que les brochures et circulaires la concernant. Une trentaine d'interviews ont été réalisés au cours de plusieurs séjours à Saint-Brieuc, pendant et après le conflit.

AVANTAGES ET LIMITES D'UNE APPROCHE MONOGRAPHIQUE

Une théorisation globale des rapports entre lutte économique — revendicative — et lutte politique ne sera possible que lorsqu'un certain nombre de monographies de conflits en auront préalablement rassemblé les données factuelles nécessaires. « Pour constater, juger, observer, connaître, il faut se rendre sur place, voir les hommes chez eux, les organisations chez elles, saisir leur attitude dans le cadre qui les fait naître, mesurer leur valeur sur le champ même de leur lutte ou de leur action. [24] » Parce qu'elle est circonscrite dans son objet d'investigation, l'approche monographique est la seule qui rende possible une prise en considération de l'ensemble des variables et qui puisse restituer la totalité des stratégies en présence dans leur complexité respective. Enfin l'approche monographique est bien souvent la seule qui permette de distinguer d'une part entre le contenu implicite et le contenu explicite du discours des acteurs, d'autre part entre les données objectives et les données subjectives de l'action.

Ces avantages en marquent en même temps les limites. « Il n'y a pas de grèves exemplaires : ce qui se produit quelque part ne peut pas être reproduit ailleurs. Chaque conflit s'inscrit dans des réalités particulières et s'explique selon les situations concrètes de chaque cas. Les conditions dans lesquelles le rapport de classe s'exprime et se manifeste dépendent directement de l'environnement social, économique et politique de l'entreprise, de la localité et de la région. [25] »

Nous étudierons d'abord les conditions du déclenchement de la grève et les caractéristiques de l'environnement économique et politique, ces données étant nécessaires à la compréhension du durcissement ultérieur du conflit et de l'ampleur du soutien manifesté.

Les discours et les pratiques des animateurs du mouvement de solidarité rencontrent concrètement le problème de l'articulation entre lutte économique et lutte politique. Certains mettent

24. GRIFFUELHES (Victor), *Voyage révolutionnaire*, Paris, Marcel Rivière, s.d., p. 4 (Bibliothèque du Mouvement prolétarien).
25. KRUMNOW (Frédo), in *Quatre grèves significatives*, op. cit., Préface p. 3.

en avant la seule lutte économique — priorité à une solidarité matérielle « unanimiste » devant les conséquences du conflit pour les grévistes — d'autres la lutte politique — priorité à la dénonciation, à propos du conflit, d'un système économique et social jugé responsable de la situation des travailleurs du Joint — d'autres enfin essaient de concilier l'aide aux grévistes et la mobilisation politique. Ces discours et les pratiques militantes correspondantes permettront d'appréhender le contenu subjectif de la solidarité et l'image de la grève diffusée par les organisations présentes sur le terrain.

L'afflux des dons individuels ou collectifs souligne seulement la sensibilisation d'une part importante de l'opinion à la dimension économique du conflit. En revanche, aucun indicateur disponible ne permet d'évaluer avec certitude le rapport entre la solidarité financière et les multiples sollicitations politiques. S'il existe un lien entre la solidarité manifestée à l'égard des grévistes et la remise en cause — à des degrés divers — du système économique et social en place, ce lien doit se traduire par une cohérence entre les comportements à l'égard de la grève et les comportements politiques extérieurs. Dans cette hypothèse, le rapport des forces politiques et syndicales dans l'entreprise après le conflit, les résultats locaux des élections législatives de mars 1973 devraient permettre de mesurer les éventuelles incidences de la grève du Joint sur la vie politique de l'entreprise, de Saint-Brieuc et du département.

CHAPITRE I

Une grève bretonne ?

De par ses origines, ses enjeux initiaux et ses modalités, la grève du Joint aurait pu se produire dans bon nombre de régions françaises sous-industrialisées, où des entreprises industrielles récemment décentralisées pratiquent une politique de bas salaires, grâce à une main-d'œuvre provenant — directement ou non — du secteur rural.

Si cette grève apparaît pour la plupart des observateurs comme un conflit spécifiquement breton [1], c'est parce qu'ils y voient d'abord l'expression d'une crise régionale au même titre que les attentats du FLB ou la grève du lait de l'été 1972. Est-il dès lors légitime de retenir une grève dont le contexte est à ce point spécifique par rapport à celui des autres conflits sociaux ?

LES ORIGINES ET LE DÉCLENCHEMENT DE LA GRÈVE

Les conditions dans lesquelles se réalisent la décentralisation de l'établissement briochin du Joint français et la lente dégradation du climat social depuis sa création contribuent à expliquer les circonstances du déclenchement du conflit, les revendications et les formes d'action adoptées par les grévistes, et, en partie, la détermination de ces derniers.

Une usine « pirate » ?

« En 1958, cinquante années après sa création, la société LE JOINT FRANÇAIS — filiale de la COMPAGNIE GÉNÉRALE D'ÉLECTRICITÉ depuis 1962 — achevait, à sa nouvelle usine de Bezons (Seine-et-Oise), commencée en 1950, un programme d'extension en quatre tranches qui portait à

---

1. La presse écrite nationale contribue largement à sensibiliser l'opinion publique à la dimension bretonne de la grève : « Face à l'inconscience du patron, la solidarité de toute une région », *Le Nouvel Observateur*, 17-23 avril 1972 ; « Joint français, conflit phare pour la Bretagne délaissée », *L'Aurore*, 4 mai 1972 ; « La Bretagne contre Paris », *L'Express*, 5-11 juin 1972, etc.

17

25 000 m² les surfaces couvertes ... LE JOINT FRANÇAIS, dont les effectifs s'élevaient à 1 700 personnes, disposait ainsi d'une unité industrielle moderne, à la mesure de la position de premier plan qu'il avait acquise dans sa spécialisation : la production de pièces d'étanchéité à base de caoutchouc naturel, de caoutchouc synthétique et d'élastomères spéciaux les plus modernes. En 1961, déjà à l'étroit dans ses installations pourtant récentes, la société devait envisager un second programme d'expansion qui lui permettrait de répondre, grâce à l'évolution continue de ses techniques, aux vastes débouchés du marché européen. Une implantation en province fut donc étudiée, en conformité avec les prescriptions gouvernementales en matière de décentralisation industrielle, et l'on recherchera une ville susceptible de recevoir, sur un terrain de 15 hectares, une grande unité industrielle prévue pour un effectif de 2 000 personnes, hommes et femmes, de toutes qualifications. Au terme d'études très poussées, d'ordre économique et démographique, le choix se porta sur Saint-Brieuc et sur sa nouvelle zone industrielle située à l'entrée de la ville, en bordure de la RN 12, sur l'itinéraire Paris-Brest. L'éveil industriel de la Bretagne, la présence d'un centre urbain de 40 000 habitants remarquablement équipé en groupes scolaires, hôpitaux, moyens divers d'occupation des loisirs, ainsi que l'accueil chaleureux des services de la préfecture des Côtes-du-Nord, des autorités régionales, et de la municipalité de Saint-Brieuc, avaient entraîné la décision. ... Les autorisations administratives pour construire ayant été obtenues en mars 1962, le plan-masse fut défini le mois suivant et, après nivellement du terrain, la cérémonie de la pose de la première pierre, présidée par Monsieur le haut-commissaire général au Plan, eut lieu le 28 mai 1962. [2] »

L'accueil des autorités locales est effectivement « chaleureux », en particulier sur le plan financier. La municipalité, à l'époque modérée, cède à la société du Joint français 14 hectares situés sur la zone industrielle qu'elle vient de créer, au prix de 1 centime le mètre carré. Un emprunt contracté par la ville lui permettra de rembourser à la Société d'économie mixte pour l'équipement et l'aménagement de la Bretagne — concessionnaire de la zone industrielle — le prix réel du terrain : 12,50 francs le mètre carré. La municipalité prend en charge les travaux de nivellement. A ce prix de revient du terrain particulièrement avantageux s'ajoute une prime à la création d'emplois :

« Il est apparu que la cession du terrain à un prix très bas ne constituait pas un avantage suffisant pour rendre Saint-Brieuc compétitif par rapport aux villes plus proches de Paris pour lesquelles : distance, coût de l'énergie et coût des transports sont beaucoup moins élevés.
D'autre part, nous avons intérêt à inciter cette entreprise à créer rapidement les 1 500 emplois prévus.
Or c'est la période de démarrage qui est la plus difficile et la plus onéreuse pour l'industriel.
Dans ces conditions, l'octroi d'une prime par emploi créé est susceptible de constituer pour lui un apport intéressant.
Nous vous demandons, en conséquence, conformément à l'avis émis en commission plénière, de décider d'allouer à la société "Le Joint français" une prime de 700 NF par emploi créé. [3] »

2. « L'usine de Saint-Brieuc et la société Le Joint français », *Usines d'aujourd'hui*, 81, non daté.
3. Ville de Saint-Brieuc, conseil municipal, séance du 29 décembre 1961.

Enfin l'usine bénéficie d'un tarif préférentiel pour l'eau — 10 centimes le mètre cube contre 35 pour les autres usagers de la zone industrielle en 1962 — et d'une exonération de la patente pendant cinq ans.

Au total, chaque emploi créé revient à 400 000 anciens francs aux finances locales. L'entrée en activité et le développement du Joint ont-ils été à la mesure des espérances de ses promoteurs ?

QUANTITÉ ET QUALITÉ DES EMPLOIS CRÉÉS

Un premier atelier fonctionne en septembre 1962. Il s'agit d'un travail de finissage — ébauchage et vérification — de pièces fabriquées à Bezons. Le personnel — une centaine de personnes — est essentiellement féminin, recruté à partir de tests psychotechniques administrés par les services départementaux de la main-d'œuvre.

> « Il s'agissait de personnel de maison ou de femmes n'ayant jamais travaillé, attirées par la publicité faite autour de l'usine, l'âge moyen se situant entre trente et quarante ans. Il fallait qu'elles soient assez jeunes pour posséder une acuité visuelle satisfaisante, pas trop pour offrir des garanties de stabilité. »
> (Déclaration d'un cadre supérieur interviewé après le conflit.)

L'embauche de personnel masculin intervient dans un second temps, début 1963, lorsque — avec le développement des ateliers de production — l'établissement briochin adopte le travail en équipes postées en 3 × 8 [4].

Les effectifs croissent régulièrement — le Joint a alors le plus fort taux de croissance du département — jusqu'en 1970, pour plafonner ensuite autour d'un millier de personnes.

Le travail exigé requiert moins une qualification qu'une habileté, une familiarité avec la matière. La formation se fait sur le tas, tant pour le personnel d'exécution que pour la maîtrise. L'encadrement, mis en place dès l'ouverture de l'usine, provient en grande partie de la région parisienne. La direction est confiée à un chef de fabrication de l'usine de Bezons. La petite maîtrise est sélectionnée sur place, par la promotion d'OS.

Le pourcentage de retraités de la marine ou de mutants agricoles est assez faible dans l'ensemble du personnel. Le tiers vient du secteur tertiaire et près du quart des femmes se trouvaient sans emploi auparavant. L'importance du bâtiment, chez les hommes, reflète les perspectives incertaines de ce secteur. Mais le plus remarquable, c'est la faiblesse du pourcentage de mutants agricoles directs, pourcentage qui rappelle la situation du CNET à Lannion, et d'Olida à Loudéac [5], et qui s'oppose au

---

4. La législation interdit le travail féminin de nuit.
5. Cf. *infra*, note 9, p. 108.

Tableau 1. Origine professionnelle de la main-d'œuvre avant l'embauche au Joint (en %)

	Hommes	Femmes
Sans travail	7,0	25,0
Travail saisonnier, apprentissage, CFPA, service militaire	11,0	7,7
Salariés dans de petites entreprises industrielles	14,0	22,0
dont entreprises briochines	9,5	
autres entreprises du département	4,5	
Bâtiment	16,0	
Secteur tertiaire	32,0	33,3
dont : services	12,5	1,7
commerce	10,5	10,0
personnel de maison	—	20,0
transports, divers	9,0	1,6
Agriculture	5,0	6,0
Retour au pays, immigration	15,0	6,0
Total	100,0	100,0

Sources revues et corrigées : TOINARD (Roger), *Industrie et main-d'œuvre à Saint-Brieuc*, Mémoire de maîtrise de géographie, Rennes, juin 1972, doc. ronéo., p. 144.

thème de l'« ouvrier-paysan » avancé par certains observateurs pendant le conflit [6].

Au total, 14 % du personnel recruté viennent directement ou indirectement du milieu agricole [7]. Il s'agit principalement d'aides familiales ayant déjà travaillé comme filles de salle ou employées de maison avant d'entrer au Joint.

La création de l'usine provoque un mouvement migratoire important vers Saint-Brieuc et les communes voisines : alors que 70 % du personnel habitent une commune rurale au moment de l'embauche, un quart seulement réside, au moment de la grève, dans un rayon supérieur à 10 kilomètres autour de l'usine [8].

Le personnel horaire comporte une majorité de jeunes — l'âge moyen est de 31 ans — et de femmes — 64 % contre 36 % d'hommes (graphique ci-contre).

6. Il semble que de nombreux observateurs aient assimilé à tort la main-d'œuvre du Joint à celle de l'usine Citroën-La-Jamais, près de Rennes, qui comporte une forte proportion de mutants agricoles directs. Cf. sur ce point JEGOUZO (Guenhaël), *Une enquête relative à certaines incidences socio-économiques d'une implantation industrielle récente en milieu rural*, Rennes, INRA, 1967, 145 p.
7. TOINARD (Roger), *Incidences socio-économiques d'une implantation industrielle récente, Le Joint français*. Mém. Géogr., Rennes, 1971, p. 51-52.
8. Là encore, la situation diffère de l'usine Citroën-La-Jamais, qui emploie une main-d'œuvre résidant dans un rayon de 70 kilomètres.

Pyramide des âges au 1er avril 1971

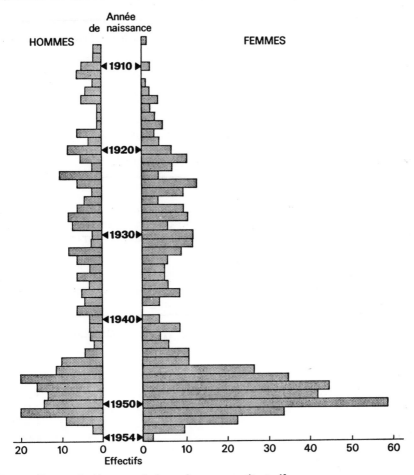

Source : TOINARD, *Incidences socio-économiques...*, op. cit., p. 13.

Cette structure démographique de l'entreprise résulte à la fois de la situation locale de l'emploi, du niveau de qualification requis et du montant des salaires proposés par le Joint.

Compte tenu de leur nombre et de l'absence de postes d'ouvriers professionnels, les OS n'ont guère de perspectives d'avancement. De plus, leur embauche s'accompagne souvent d'un déclassement par rapport à leur qualification initiale. 24 % des hommes possèdent un CAP (ou un niveau équivalent), mais la moitié d'entre eux est employée à des postes sans rapport avec cette formation ; 6,5 % des femmes ont un CAP, mais aucune n'exerce une activité en rapport.

Tableau 2. Répartition des effectifs ouvriers, selon la qualification, dans les trois principaux établissements industriels briochins (en %)

	Chaffoteaux-et-Maury	Sambre-et-Meuse	Le Joint français
Manœuvres	5,2	7,5	0,1
OS	82,7	60,0	73,4
OP	12,1	32,5	—
OQ, OHQ	—	—	26,5
Total	100,0	100,0	100,0

Source : TOINARD, *Industrie et main-d'œuvre...*, *op. cit.*, p. 105-137.

Enfin, l'établissement briochin accompagne cet écrasement des qualifications d'une politique de bas salaires, non seulement par rapport à la région parisienne mais aussi par rapport aux autres usines de la localité :

Tableau 3. Grille des salaires horaires minima pratiqués à Saint-Brieuc au 1er mars 1972

	Chaffoteaux-et-Maury	Sambre-et-Meuse	Bâtiment	Le Joint français
Manœuvres	5,45	4,25	4,26	—
OS 1 Saint-Brieuc	5,97	4,47	4,34	4,13
Bezons				4,32
OS 2 Saint-Brieuc	6,26	4,68	4,45	4,30
Bezons				4,56
OS 3 Saint-Brieuc			4,55	4,45
Bezons				4,83
OP 1 Saint-Brieuc	7,52	5,17	—	4,87
Bezons				5,41
OP 2 Saint-Brieuc	7,99	5,71	—	5,10
Bezons				5,72
OQ Saint-Brieuc	—	—	4,94	5,37
Bezons				6,12
OHQ Saint-Brieuc	—	—	5,45	5,66
Bezons				6,53

Source : TOINARD, *Industrie et main-d'œuvre...*, *op. cit.*, p. 105-137.

De la création de l'usine jusqu'au 1er mars 1971, 10 000 demandes d'emploi ont été examinées : ce chiffre rend compte de la crise locale de l'emploi (surtout en matière d'emplois féminins), de l'attrait exercé par la stabilité relative que procure le travail industriel, de l'écho de la campagne des autorités locales lors du lancement de l'usine.

La dégradation du climat social dans l'entreprise

Pour maintenir un effectif constant autour de 1 000 personnes, l'entreprise doit satisfaire 3 300 demandes d'embauche parmi les 10 000 présentées depuis l'ouverture. Plus de la moitié du personnel a moins d'un an d'ancienneté ; à la veille du conflit, 37 % ont moins de six mois de présence à l'usine[9].

« Usine pilote » pour une main-d'œuvre à la recherche d'un emploi stable qui lui assure les revenus attendus de l'industrie, pourquoi le Joint français devient-il rapidement un pis-aller provisoire pour ceux qui y travaillent ?

Certains cadres supérieurs attribuent l'importance de ce *turn over* à l'inadaptation du personnel :

« Nous avons eu de nombreuses difficultés avec les services de la main-d'œuvre, ils nous refilaient la crème des chômeurs, les cas sociaux, notamment de nombreux alcooliques.

Nous avions un atelier où l'on traite des produits à base d'amiante, qui tourne en 3 × 8, et fonctionnait normalement à Bezons alors qu'ici nous avons eu des difficultés ; il a fait l'objet de nombreuses attaques parce que mal accepté par certains ruraux. D'où des problèmes dans cet atelier où règnent effectivement une forte odeur de solvant, des émanations de caoutchouc, d'amiante, de graphite. Le pointage était mal supporté, nous avons dû réaliser le conditionnement d'un personnel qui n'avait pas de caractère industriel. »

(Cadre supérieur interviewé après le conflit.)

Les syndicats, s'ils dénoncent les conditions de travail, refusent d'expliquer le malaise qui en résulte par l'impréparation du personnel au travail industriel. Ils dénoncent en revanche une discipline tatillonne, le retard des salaires de Saint-Brieuc par rapport à l'établissement de Bezons ou des autres entreprises briochines, l'absence de pouvoirs réels de la direction locale et la politique antisyndicale de cette dernière.

De fait, il faut attendre les événements de mai-juin 1968 pour que le syndicalisme fasse son apparition au Joint français (à Saint-Brieuc comme à Bezons). Jusque-là, les tentatives appuyées par les unions départementales se heurtent à une répression antisyndicale. Un comité d'entreprise est élu à partir de listes de candidats non syndiqués. En mai 1968, à l'appel de la CGT, des militants de Chaffoteaux-et-Maury et Sambre-et-Meuse se rendent aux portes du Joint qui ne s'est pas mis en grève. Le travail s'arrête, l'usine est occupée à son tour.

9. Toinard, *op. cit.*, p. 111 et suiv.

TRAVAILLEURS, TRAVAILLEUSES DU JOINT FRANÇAIS !

LE SYNDICAT CGT DE CHEZ CHAFFOTEAUX

S'ADRESSE A VOUS

Pendant de longues années, nous avons eu la même situation difficile que vous connaissez pour implanter l'organisation syndicale dans notre entreprise.

Nous avons subi des brimades, des militants de la CGT ont été sanctionnés, mais avec fermeté nous avons mené l'action et réussi à imposer avec l'appui des travailleurs de l'usine, nos droits syndicaux.

Vous pouvez en faire autant.

Nous sommes décidés à vous aider, si le besoin s'en fait sentir.

Nous vous proposons de tenir une assemblée générale à la Maison du peuple,

LE VENDREDI 24 MAI, A 16 HEURES.

Comptant sur votre présence.

LE SYNDICAT CGT

Tract distribué aux portes du Joint en 1968.

Un comité de grève — avec la participation de la CGT, de la CFDT et de la CGT-FO — est constitué, permettant à ces organisations de s'implanter dans l'usine ; un cahier de revendications est déposé. Le Joint français est une des dernières entreprises de Saint-Brieuc à reprendre le travail, le 18 juin. FO n'a qu'une existence éphémère. La CGC recrute quelques cadres après les événements. La CFDT est très nettement minoritaire par rapport à la CGT. L'année suivante, à la suite d'une maladresse dans la gestion de sa trésorerie, le responsable cégétiste abandonne son mandat. Le rapport des forces syndicales se renverse : un certain nombre de militants CGT passent à la CFDT qui devient majoritaire dans l'entreprise.

Cet incident est important pour la suite des événements. On se trouve en effet devant une situation syndicale originale : dans une région où la CFDT et la CGT s'équilibrent [10], la CGT est localement majoritaire (grâce en particulier à son implantation chez Chaffoteaux-et-Maury et Sambre-et-Meuse, qui emploient respectivement 1 600 et 714 ouvriers). Dans ces conditions, la présence majoritaire de la CFDT au Joint français prend valeur de symbole pour cette organisation.

En mars 1969, les travailleurs du Joint demandent l'égalisation de leurs salaires avec ceux de Bezons. Ils reprennent le travail après dix jours de grève, sans avoir obtenu satisfaction. La politique adoptée à l'époque par les dirigeants du Joint annonce celle

10. Cf. *infra*, p. 35-36.

qui sera pratiquée pendant la grève de 1972. D'une part, le directeur en poste à ce moment-là à Saint-Brieuc signifie aux grévistes — dès le troisième jour de la grève — qu'il n'a pas le pouvoir de conclure un accord sur les points qui lui sont soumis. D'autre part, la direction adresse — comme elle le fera en 1972 — une lettre à chaque membre du personnel, l'invitant à reprendre le travail.

L'année suivante, un nouveau directeur — ingénieur des Mines, âgé de 35 ans, le « type même du technicien qui connaît avant tout le langage des chiffres » [11] — est nommé. C'est sa première direction d'entreprise. Les syndicats voient dans cette nomination une sanction contre l'ancien directeur auquel la direction générale reprocherait de n'avoir pas su s'opposer au développement de l'implantation syndicale.

Les relations se dégradent rapidement entre le nouveau directeur et les organisations syndicales :

... EN 1968, le syndicalisme ouvrier a permis de mettre fin au JOINT FRANÇAIS à ce que le personnel appelait un régime militaire.

ALLONS-NOUS REVENIR A CETTE SITUATION ???
C'est ce que nous craignons, c'est la raison pour laquelle nous vous alertons.
La nouvelle direction serait-elle venue à St-Brieuc pour mater les Bretons ???

NOUS NOUS POSONS CETTE QUESTION POUR UN CERTAIN NOMBRE DE RAISONS
— Mauvaise volonté pour recevoir les syndicats, pour obtenir une entrevue il faut faire une demande écrite.
— Elle n'a pas le temps de se pencher sur les problèmes des travailleurs ou... si peu.
— Des décisions sont prises sans consultation en ce qui concerne la structure des ateliers et la direction considère ainsi les problèmes comme réglés.
Ce comportement nouveau et rétrograde de la direction inquiète non seulement vos délégués élus mais bon nombre de salariés de l'entreprise.

L'ATMOSPHÈRE EST DE PLUS EN PLUS TENDUE

Extrait d'un tract commun des sections CGT et CFDT, distribué fin 1970.

L'annonce de réductions d'horaires, de compressions du personnel (chez les cadres et les employés) et d'une option, prise par la société, sur un terrain à Bar-le-Duc ne contribue pas à améliorer le climat.

11. LORANT (Guy), *op. cit.*, p. 27.

En juin 1971, l'union départementale CFDT diffuse largement à Saint-Brieuc un tract soulignant la dette de la société du Joint français envers les finances locales. Son secrétaire, Jean Lefaucheur, s'adresse aux pouvoirs publics :

Saint-Brieuc, le 19 juin 1971

Monsieur le préfet des Côtes-du-Nord
Monsieur le maire de Saint-Brieuc
Monsieur le directeur du comité d'expansion
économique des Côtes-du-Nord

Monsieur le préfet, Monsieur le maire, Monsieur le directeur,

Le personnel du Joint français s'inquiète à juste raison de la situation actuelle de l'emploi dans cette entreprise.

La direction donne trop peu d'informations en ce qui concerne les perspectives d'investissements, et, d'une part la preuve officielle que nous avons de l'implantation d'une usine du Joint français à Bar-le-Duc, d'autre part, la diminution d'horaires imposée au personnel, la diminution d'effectifs intervenue pendant un certain temps ne sont pas de nature à rassurer le personnel quant à la sécurité de l'emploi pour l'avenir.

En effet, l'absence d'informations de la part de cette direction nous amène à nous interroger sur le caractère expansionniste ou non de l'implantation d'une usine à Bar-le-Duc.

Nous craignons que cette expansion se fasse aux dépens de l'activité locale de l'usine de Saint-Brieuc.

Nous savons le prix qu'a coûté à la collectivité locale c'est-à-dire aux Briochins et à la population de la région l'implantation de l'usine de Saint-Brieuc, et, tenant compte des avantages énormes dont elle a bénéficié, nous estimons que la société du Joint français a des engagements vis-à-vis de notre région, et, que non seulement elle doit maintenir son activité mais qu'une expansion doit être exigée de la part de cette direction pour ce qui est de l'activité de l'usine de Saint-Brieuc.

Nous vous demandons de bien vouloir intervenir dans ce sens auprès de cette direction.

Nous vous prions ...

Jean LEFAUCHEUR
Secrétaire général

Des débrayages ont lieu, en juin et juillet, les syndicats réclament l'ouverture de négociations sur les salaires et la sécurité de l'emploi. Ils se heurtent à une fin de non-recevoir.

Le 27 octobre, l'atelier de « boudinage » se met en grève illimitée. Cet atelier occupe une place stratégique dans le processus de production : on y transforme la matière première — la gomme — en « boudins » à partir desquels les joints sont ensuite fabriqués. Les conditions de travail sont pénibles, les grévistes demandent une prime de salissure.

Le conflit a éclaté spontanément, en dehors des syndicats, à l'initiative de deux ou trois militants maoïstes. L'un d'entre eux milite également au sein de la section CGT, qui est majoritaire dans cet atelier, mais la section n'a pas été associée à la préparation de la grève. La direction joue sur le chômage technique qui touche d'autres ateliers. Bien que surprises par ce mouvement, les sections CGT et CFDT l'appuient et tentent — sans succès — de l'élargir à d'autres secteurs de l'usine [12] :

... Aujourd'hui l'atelier de boudinage démontre le mécontentement de tous et ce conflit aurait pu se déclencher dans d'autres ateliers car les salaires sont dans toute l'usine des salaires de misère très inférieurs à ceux pratiqués dans les autres entreprises de la localité briochine.

Les camarades du boudinage ont raison d'exiger, avec l'augmentation globale des salaires pour tout le monde, la prime de salissure.

LA DIRECTION OPPOSE TOUJOURS UN REFUS CATÉGORIQUE A VOS JUSTES REVENDICATIONS.

TRAVAILLEUSES, TRAVAILLEURS :

— POUR OBTENIR SATISFACTION
— POUR LUTTER CONTRE L'INTRANSIGEANCE PATRONALE DU JOINT

UNE SEULE ARME : VOTRE SOLIDARITÉ AGISSANTE

Celle-ci se traduit par l'unité d'action de vos syndicats CGT et CFDT.

REJOIGNEZ LA LUTTE ENGAGÉE
par les camarades de l'atelier de boudinage

LES SECTIONS SYNDICALES
CFDT et CGT

Extrait d'un tract commun des sections CGT et CFDT.

Les travailleurs du boudinage reprennent le travail, après trois semaines de grève, sur un échec.

Dans *Taupe rouge* [13] distribuée aux portes de l'usine, la Ligue

12. Après le conflit de 1972, dans une brochure ronéotée tirant leurs enseignements de ce conflit, les maoïstes attribuent aux syndicats la responsabilité de l'échec de la grève du boudinage : « A chaque fois, les syndicats réussirent à liquider les mouvements. En 1971 par exemple, alors que les gars du boudinage sont en grève, les syndicats refusent de lancer un mot d'ordre de grève générale, isolant ainsi les grévistes partis seuls et les obligeant à reprendre le boulot en n'ayant pratiquement rien obtenu. » « Le Joint français. Vive la lutte classe contre classe ! » *Le Travailleur briochin*, doc. ronéo, sans pagination, été ou automne 1972.
13. *Taupe rouge* : journaux d'entreprises diffusés par la Ligue communiste, périodicité irrégulière.

communiste estime que c'est le contenu « peu unificateur » des revendications qui est à l'origine de cet échec :

LA TAUPE ROUGE
                                        25 novembre 1971

Le combat des boudineurs même s'il se termine dans la confusion a été instructif à plus d'un titre pour l'ensemble des travailleurs du Joint français. Il est clair que Donnat [14] a profité des hésitations syndicales, de l'isolement des grévistes dans et hors de l'usine.

Donnat a fait jouer les chefs de service contre les syndicats et la division contre l'unité possible.

La LIGUE COMMUNISTE dès le début est intervenue par communiqués et par tracts et déclarait que seule l'unité, l'extension de la lutte sur un mot d'ordre unitaire pouvait garantir une victoire décisive sur un patron de combat. Le mot d'ordre de 8 % n'a pas été suffisamment mobilisateur parce que peu unificateur. En effet, les plus bas salaires sont convaincus de tirer un maigre profit d'une lutte dure alors qu'ils sont les premiers victimes de l'exploitation sauvage. Pour nous, un mot d'ordre qui unifie la lutte, mobilise et rend efficace la combativité, c'est une revendication d'augmentation égale pour tous (50 centimes de l'heure par exemple). Les directions syndicales sur le plan départemental ont déclenché la solidarité un peu tard et ont proposé un mot d'ordre peu unificateur. Les militants de la Ligue communiste par communiqués et tracts ont rappelé l'exemple victorieux de SAMBRE-ET-MEUSE [15], non seulement les horaires de cette usine ont obtenu 40 centimes d'augmentation pour tous mais encore les primes en litige et motivant la lutte au départ.

Il fallait en profiter pour revoir la grille des salaires, dénoncer les injustices, se battre sur le mot d'ordre
       A TRAVAIL ÉGAL, SALAIRE ÉGAL !

Donnat en examinant les cas individuels a cassé la grève. Les directions syndicales n'auraient pas dû tolérer de telles pratiques qui renforcent l'autorité patronale.

Donnat en passant par dessus les syndicats pour négocier individuellement s'octroie le droit de faire les promesses et pratiquer le chantage qu'il veut ; les responsables syndicaux n'assisteront pas à la confrontation.

Donnat a trouvé le moyen de couper les syndiqués en lutte de leur organisation, ce qui lui a permis de rien accorder.

Les boudineurs doivent rendre publics les résultats qu'ils ont

14. Le directeur de l'usine.
15. A l'automne 1970, les ouvriers de Sambre-et-Meuse font grève pendant 25 jours pour obtenir une augmentation de salaire horaire de 0,50 F. L'histoire de ce conflit n'est pas sans analogie avec celle de la grève du Joint, deux ans plus tard. Déjà, dès le début de la grève, le problème de la parité des salaires de l'usine briochine avec ceux de la maison mère de Maubeuge est posé, au cours d'une entrevue orageuse entre les grévistes et le directeur de la société. Celui-ci est retenu dans son bureau. On note également des démarches qui seront reprises en 1972 : Yves Le Foll, maire de Saint-Brieuc, intervient auprès du patronat de Sambre-et-Meuse et les grévistes réclament la médiation des pouvoirs publics.
Un seul élément important de la grève de Sambre-et-Meuse ne se retrouve pas au moment du Joint : le rôle déterminant de la CGT, majoritaire dans l'établissement, et du PCF dans la conduite de la grève et l'organisation du soutien.

> obtenus, que les syndicats affichent ces résultats dans l'usine.
> S'il y a des inégalités dans les résultats obtenus par les bou-
> dineurs, il faut que DONNAT s'explique !
>
> DONNAT en se démasquant a permis aux travailleurs du Joint
> d'envisager dans un proche avenir la riposte unitaire.
>
> Les boudineurs ont tracé la voie.
>
> S'il est vrai que le capitalisme en crise durcit son attitude au
> moment des luttes, Mai 68 l'a effrayé. Le patronat ne recule que
> devant la force et l'unité.
>
> LES CONTRATS NE PAIENT PAS, SEUL LE COMBAT PAIERA !
>
> INTÉRÊT DE DONNAT, INTÉRÊT DU CAPITAL !
>
> MENSUALISATION POUR TOUS SANS PERTE DE SALAIRE.
>
> GARANTIE D'EMPLOI.
>
> 0,60 D'AUGMENTATION HORAIRE, ÉGALE POUR TOUS !

Taupe rouge diffusée aux portes du Joint, le 25 novembre 1971.

A travers ce conflit, c'est le problème du « rattrapage » des salaires qui est posé. Mais il est clair désormais qu'un mouvement catégoriel n'a guère de chance d'aboutir, face à l'intransigeance de la direction.

Le dépôt d'un cahier de revendications et l'entrée en grève illimitée

En décembre 1971, une note de la direction générale aux membres du comité d'établissement présente la situation financière de la société comme désastreuse. La section CFDT réplique par une lettre ouverte à la direction générale : « Le directeur de Saint-Brieuc serait-il incompétent ? » Copie en est envoyée, pour information, à l'inspecteur du travail, à la direction locale de l'entreprise, mais aussi au maire de Saint-Brieuc, au préfet des Côtes-du-Nord, à M.-M. Dienesch et R. Pleven, députés du département et membres du gouvernement. Le conflit du Joint français est en train de prendre la dimension politique qui va le révéler à l'opinion publique nationale.

Le climat continue de se dégrader au début de l'année 1972. Fin janvier, la CFDT proteste auprès de l'Inspection du travail contre les pressions dont certains de ses responsables au Joint seraient victimes. C'est dans ce contexte que, le 23 février, les sections CGT et CFDT déposent — après une assez large consultation de la base — un cahier de revendications et appellent à un premier débrayage :

> A l'appel des deux organisations syndicales CFDT et CGT, le personnel du Joint français a observé au cours de la journée d'hier plusieurs débrayages d'une demi-heure ...
>
> Les syndicats considèrent comme de plus en plus condamnable l'inertie opposée par la direction depuis plusieurs mois aux revendications du personnel.
>
> Cette inertie étant pour les organisations syndicales la cause du retard de plus en plus sensible par rapport aux autres entreprises de la région et par rapport à l'usine du Joint français à Bezons.
>
> C'est la raison pour laquelle les organisations syndicales ont formulé leurs revendications :
>
> — 0,30 F de rattrapage pour le retard
> — 0,40 F pour une augmentation immédiate en 1972.
>
> Une entrevue a eu lieu avec la direction vers 14 h. Aucune solution n'a été apportée. ... D'autres débrayages vont avoir lieu dans les jours à venir.
>
> Le conflit pourrait être amené à se durcir si l'inertie de la direction continue de bloquer toute procédure de négociation.

Extraits d'un communiqué de presse des sections CGT et CFDT du 24 février 1972.

Le cahier de revendications comprend en plus : la réduction d'une heure de la durée hebdomadaire du travail, sans perte de salaire, une prime de poste de 0,50 F au lieu de 0,24 F, une prime forfaitaire de transport de 30 F et l'octroi du treizième mois.

Les débrayages sont reconduits les jours suivants, d'abord dans l'usine, puis à l'extérieur, sur le parking. Ils s'accompagnent de prises de parole de délégués. Les secrétaires des unions départementales CGT et CFDT assistent à quelques-uns de ces meetings. C'est ainsi que, le 2 mars, Jean Lefaucheur se félicite du mode d'action choisi qui permet aux salariés de tenir dans leur action de harcèlement, en prévision d'un conflit qui s'annonce difficile [16].

Le 6 mars, la maîtrise remet une motion à la direction pour l'informer « que faute de bonne volonté de sa part pour engager des discussions afin de dégeler le conflit actuel, elle se verra dans l'obligation de rejoindre le mouvement le mardi 7 mars ». Ce ralliement des « petits chefs » [17] est important : il renforce la légitimité du mouvement aux yeux d'une opinion publique locale, tenue régulièrement informée de son développement par *Ouest-France* et *Le Télégramme*.

16. Les maoïstes, sortant ultérieurement cette déclaration de son contexte, accuseront Lefaucheur d'opportunisme.

17. L'importance tactique de ce ralliement n'est guère appréciée par ces mêmes maoïstes : « Le fait que la maîtrise fasse semblant de soutenir les revendications des ouvriers renforce le climat de collaboration de classe, son rôle de flic auprès du patron s'en trouve facilité », *Le Travailleur briochin*, op. cit.

Mais, de l'avis même des militants syndicaux qui les ont lancés, ces débrayages, s'ils rencontrent au début l'adhésion des travailleurs et sensibilisent l'opinion, apparaissent bientôt insuffisants face à la résistance patronale :

« Donnat, c'était non, non, non et non. Ça s'accumulait depuis deux ans, il y avait une rancœur dans le personnel, tout le monde était aigri, ça marchait plus quoi... et puis alors ça été l'explosion, ils savaient très bien qu'il fallait faire quelque chose, qu'il fallait bouger... on ne pouvait plus rester comme on était... en février... c'est à la suite de ça qu'il y a eu les premiers débrayages, quand la direction nous a répondu que ce qu'on demandait était impensable, surtout dans la position de la société... alors là, on a dit " Si vous êtes pas capable de nous dire quand on aura 20 ou 30 centimes, on les aura jamais, on n'aura jamais rien quoi ". On a commencé à faire des débrayages d'une demi-heure par jour, ça a duré trois semaines et puis les gens en avaient marre. Moi même le premier j'en avais marre de sortir une demi-heure... il y en a ras-le-bol hein, soit qu'on reste dedans, soit qu'on reste dehors. Il y avait une tension qui montait, on sentait les gars s'échauffer, ils en avaient marre : " Nous on sort demain, c'est terminé, le coup des demi-heures il y en a marre, la direction se fout de notre g... comme ça "... alors on a donc décidé de consulter le personnel pour la grève totale. »
(Extrait d'une interview d'un délégué CFDT réalisée après le conflit.)

D'accord sur la nécessité de passer à une nouvelle forme de lutte, les sections syndicales CGT et CFDT décident de consulter le personnel sur l'opportunité d'entamer une grève illimitée. Jean Lefaucheur y est favorable, Robert Daniel, secrétaire de l'UD-CGT, est plus réticent :

« Le mouvement au départ n'a pas été tellement admis par l'union départementale parce que, d'après eux, ils pensaient que l'on pouvait continuer encore les débrayages beaucoup plus longtemps... or c'est vrai que les unions départementales ne sont pas toujours au courant de ce qui se passe à l'intérieur de l'usine, c'est le syndicat de l'entreprise qui, lui, voit le mieux comment ça marche à l'intérieur de l'entreprise. C'est ce qui explique qu'au départ, l'union départementale n'avait pas tellement apprécié la façon dont avait démarré le mouvement. »
(Extrait d'une interview d'une déléguée CGT réalisée après le conflit.)

Les travailleurs présents (équipes de jour) tranchent le 10 mars en faveur de la grève illimitée, par 504 voix contre 196. Le même jour, les syndicats qui — devant le refus de négocier de la direction locale — se sont adressés à la direction générale, reçoivent une réponse : il ne saurait être question d'ouvrir des négociations, une augmentation des salaires de 3 % étant déjà prévue pour avril.

A la suite du vote décidant l'entrée en grève illimitée à partir du 13 mars, le principe d'un piquet de grève est adopté.

L'INFLUENCE DU CONTEXTE BRETON

En mars 1972, lorsque le conflit éclate, l'économie bretonne accuse un retard important par rapport à l'évolution globale de l'économie française, qui se traduit sur le plan politique par un malaise régional, diffus mais réel. On pourrait objecter que ce malaise risque d'exercer une influence décisive sur la grève, celle-ci n'étant alors que l'épiphénomène d'une crise plus large dont les déterminants seraient situés, pour l'essentiel, en dehors du champ des luttes sociales actuelles. Pertinente si l'on considère que les Côtes-du-Nord et Saint-Brieuc sont représentatifs de l'ensemble de la Bretagne, cette objection tombe dans le cas contraire.

La crise bretonne

LES DONNÉES SOCIO-ÉCONOMIQUES DE CETTE CRISE

Cent mille Bretons quittent la terre entre 1962 et 1968, mais l'économie bretonne reste dépendante d'un secteur agricole artisanal [18]. Cette dimension artisanale de l'agriculture bretonne se traduit par la faible superficie des exploitations (136 260 exploitations sur un total de 162 676 ont moins de 20 hectares en 1967), leur caractère familial (on compte 33 500 salariés agricoles seulement pour un effectif total de 332 800 personnes actives [19]), et une productivité faible (la valeur ajoutée par personne active vient presque au dernier rang des régions de programme [20]). Différentes initiatives ont tenté de remédier à cet archaïsme des structures agricoles.

Initiative d'abord en matière d'organisation coopérative de la production et de la distribution, sous l'impulsion initiale des militants de la Jeunesse agricole chrétienne [21], puis, à partir des années 1958-1960, du courant moderniste du Centre national des jeunes agriculteurs. Mais les trois quarts des coopératives créées entre 1945 et 1950 ont disparu. Mises en place, à l'origine, pour permettre à l'agriculture bretonne de conserver sa spécificité

---

18. Cf. Malassis (L.), « Agriculture et économie bretonnes », *Projet*, janv. 1967, p. 65-82.
19. *Statistiques et indicateurs des régions françaises*, Paris, INSEE, 1971, p. 92.
20. *Ibid.*, p. 101.
21. Le Bihan (J.), Coquart (P.), « La croissance et la coopération en Bretagne », *Economie rurale*, 62, oct.-déc. 1964, p. 35-41.

face aux agricultures régionales plus industrialisées, ces coopératives sont actuellement dominées par les firmes d'industrie alimentaire [22]. D'inspiration voisine mais de création plus récente, les GAEC (Groupements agricoles d'exploitation en commun) passent par des contradictions qui ne sont pas sans rappeler celles du mouvement coopératif. La coopération est condamnée à disparaître ou à accélérer l'évolution de l'agriculture bretonne en mettant fin à sa spécificité actuelle [23].

Initiative ensuite dans le type de production : l'agriculture bretonne s'est orientée, incitée par des mesures gouvernementales, vers le développement d'un élevage spécialisé et industrialisé (industrie laitière, aviculture, production porcine). Mais la concurrence internationale pèse sur ce secteur, et la politique européenne des hauts prix de céréales ne facilite pas un abaissement des coûts de production [24].

Initiative enfin en matière de restructuration de la base foncière, avec les opérations de remembrement, pas toujours bien accueillies par une population habituée à une structure de bocage. Pour la période allant de 1962 à 1970, la Bretagne ne vient qu'au neuvième rang des régions de programme en ce qui concerne le montant d'activité des SAFER (Sociétés d'aménagement foncier et d'établissement rural). Les cessions sont le fait de petites exploitations et ne libèrent que peu de surface agricole utile [25]. C'est dans les exploitations dépassant 100 hectares que l'on observe, proportionnellement, le plus fort taux de concentration entre 1963 et 1967 [26].

L'aide de l'Etat est importante. L'agriculture bretonne vient au premier rang des agricultures régionales en ce qui concerne, d'une part, les dépenses d'investissement engagées de 1961 à 1970 avec la participation financière de l'Etat [27], et, d'autre part, l'aide aux mutations professionnelles destinées à faciliter la reconversion des exploitants, aides familiaux et salariés agricoles vers d'autres secteurs d'activité [28]. En définitive, la survie de l'agriculture bretonne est liée, dans le système économique actuel, à sa rentabilisation, rentabilisation qui implique à son tour la reconversion d'une partie importante de la population active agricole vers les secteurs tertiaire et secondaire.

22. CANEVET (Corentin), *La coopération agricole en Bretagne*, Saint-Brieuc, Presses universitaires de Bretagne, 1971, p. 279 et suiv.

23. Cf. SERVOLIN (Claude), « L'absorption de l'agriculture dans le mode de production capitaliste », *L'univers politique des paysans*, Paris, Armand Colin, 1972, p. 41-77.

24. BROWN (G.), « La situation de l'agriculture bretonne en 1969-1970 », *Bulletin de conjoncture régionale*, 4, 1969, p. 38-41.

25. ROSTREN (M.), « L'indemnité viagère de départ et son influence sur les structures des exploitations agricoles dans la région de Lannion », *Bulletin de conjoncture régionale*, 3, 1971, p. 14-16.

26. INSEE, *op. cit.*, p. 96.

27. INSEE, *op. cit.*, p. 111.

28. INSEE, *op. cit.*, p. 112.

De décembre 1968 à décembre 1971, 20 000 emplois industriels sont créés en Bretagne. Pour la première fois, en 1968, les salariés représentent plus de la moitié de la population active (57,2 % contre 48,5 % en 1962 et 42 % en 1954), mais la Bretagne est encore, avec la Corse, la région la moins industrialisée de France. Les industries d'implantation récente — Citroën à Rennes, le CNET à Lannion, Olida à Loudéac, Le Joint français — sont des industries faisant appel à une main-d'œuvre peu ou pas qualifiée. Se situant à la fin du processus de production, elles n'exercent pas d'effet d'entraînement sur leur environnement [29]. Les transferts directs de l'agriculture vers ces emplois industriels sont peu nombreux, le cas de Citroën excepté. Mais la libération d'emplois non agricoles par les nouveaux embauchés contribue à réduire l'exode rural, lorsque les emplois libérés ne se situent pas dans des branches condamnées à plus ou moins long terme par la modernisation des structures liées à l'industrialisation de la région. Les activités anciennement implantées — conserveries et pêcheries, arsenaux, textiles et cuirs — traversent ici comme ailleurs une phase difficile. Le poids du bâtiment dans le secteur secondaire hypothèque l'avenir [30].

Offres et demandes d'emplois ne s'ajustent pas comme le montre la progression du volume des offres d'emplois non satisfaites [31]. Le volume des demandes d'emplois non satisfaites s'est accru dans des proportions proches de la moyenne nationale, les femmes — 45,2 % des demandes non satisfaites au 31 décembre 1971 — et les jeunes — 43,7 % ont moins de 25 ans — étant les plus touchés.

L'évolution de la consommation d'énergie industrielle résume assez bien la situation actuelle : venant presque au dernier rang des régions de programme en 1969 — avant la Corse et le Limousin — la Bretagne se situe en revanche au premier rang en ce qui concerne l'augmentation annuelle (+ 12,8 %) pour la période allant de 1959 à 1969 [32].

Enfin, la croissance régulière du secteur tertiaire constitue moins un facteur de vitalité économique qu'un élément supplémentaire du déséquilibre structurel qui caractérise l'économie bretonne. L'extension de ce secteur résulte, en grande partie, de l'effort de développement des équipements collectifs entrepris par l'Etat depuis 1962. Sur les 373 300 salariés de ce secteur, 103 200 relèvent des services publics, de l'administration et de l'armée [33].

29. BERTRAND (Y.), « Aspects de la diffusion du développement dans un cadre régional à partir d'implantations industrielles récentes », *Bulletin de conjoncture régionale*, 4, 1970, p. 26-27.
30. INSEE, *op. cit.*, p. 122.
31. KERGOAT (J.), « La conjoncture économique bretonne », *Bulletin de conjoncture régionale*, 4, 1972, p. 10.
32. INSEE, *op. cit.*, p. 117.
33. *Ibid.*, p. 72.

Tableau 4. Elections professionnelles. Répartition des voix en Bretagne et dans la France entière (en %)

	CGT		CFDT		FO		CFTC		CGC	Autres syndicats		Candidatures de non syndiqués		Ensemble
	1er collège	2e collège	1er collège	2e collège	1er collège	2e collège	1er collège	2e collège	2e collège	1er collège	2e collège	1er collège	2e collège	
1966														
Bretagne	49,4	13,8	30,7	22,1	7,4	9,7	1,9	2,1	15,5	—	15,7	10,6	21,1	200
France	57,8	21,3	19,0	19,8	8,0	8,2	2,2	3,3	21,6	3,0	5,5	10,0	20,3	200
1967														
Bretagne	46,5	14,2	40,3	28,6	3,6	7,5	0,2	0,9	10,3	—	—	9,4	38,5	200
France	51,5	15,8	17,9	16,8	7,6	7,2	2,2	1,9	21,5	3,4	5,9	17,4	30,9	200
1968														
Bretagne	46,4	12,5	29,2	16,6	4,5	4,1	2,6	1,4	16,9	8,4	26,0	8,9	22,5	200
France	55,6	16,8	19,5	18,2	7,8	7,0	2,9	3,0	25,7	4,8	8,3	9,4	21,0	200
1969 *														
Bretagne		35,2		36,3		3,2		1,8	—		3,0		20,5	100
France		40,9		18,2		7,0		2,7	4,9		5,9		20,4	100
1970														
Bretagne	41,6	9,8	24,4	16,6	4,9	3,2	3,6	3,8	19,6	14,4	25,3	11,2	21,6	200
France	53,9	16,5	20,2	17,5	7,4	7,2	2,6	3,3	25,8	5,9	11,2	10,0	18,5	200
1971														
Bretagne	38,4	7,9	35,5	25,1	4,3	5,4	1,3	0,2	19,2	4,8	5,3	15,7	36,9	200
France	50,5	16,2	19,7	16,0	7,9	6,3	1,9	2,8	23,3	5,2	10,0	14,8	25,5	200

* On ne dispose pas de la ventilation par collèges pour l'année 1969.

Sources : *Revue française des affaires sociales*. La comparaison dans le temps doit se faire tous les deux ans en raison de la périodicité des élections professionnelles. Le secteur public n'est pas comptabilisé dans ces résultats.

Ce caractère tardif de l'industrialisation bretonne se traduit, au niveau syndical, par l'absence d'une tradition ouvrière régionale, à l'exception de quelques centres isolés. Ceci, joint à l'influence particulièrement forte d'un clergé local longtemps conservateur, explique que la CFDT, profitant de l'héritage sociologique du syndicalisme chrétien, bénéficie en Bretagne, vis-à-vis de la CGT, d'un rapport de forces plus favorable qu'au niveau national (cf. tableau 4, p. 35). Cet avantage de la CFDT a tendance à diminuer, mais cette diminution ne se fait pas au bénéfice de la CGT, qui conserve son retard. En revanche, la CFTC et la catégorie « autres syndicats » — dans laquelle la CFT, Confédération française du travail, n'est pas comptée — progressent depuis 1968, ce qui pourrait correspondre, notamment dans les petites entreprises, à une réponse patronale devant des droits syndicaux nouveaux et mal acceptés par certains chefs d'entreprise.

LE MALAISE BRETON ET L'ÉCHEC DU CELIB

De cette rapide présentation de la situation économique et sociale bretonne, deux impressions se dégagent. Si l'on tient compte de ses besoins objectifs et du retard accumulé, la Bretagne demeure, dans les années 1970, une des régions qui ont le moins participé au redressement économique français. Et pourtant, dans le même temps, les bilans économiques mettent en évidence un décollage industriel indéniable depuis les années 1960. Insuffisant dans son ampleur, discutable quant aux modalités adoptées, ce mouvement a toutefois entraîné un bouleversement important de la structure économique et — par voie de conséquence — amorcé une mutation en profondeur de la société bretonne, dominée jusqu'à ces dernières années par une structure économique étonnamment stable.

L'éclatement du monde rural, parce que à la fois tardif et brutal, est une des composantes fondamentales du « malaise breton ». On est d'ailleurs en droit de se demander s'il s'agit d'un simple malaise ou d'une crise de société. La dimension économique épuise-t-elle l'explication de ce malaise ? Souligné par A. Siegfried [34], le particularisme breton continue d'exister et de s'exprimer, plusieurs siècles après la perte du cadre institutionnel garantissant l'autonomie de la province. Aux raisons d'ordre ethnique avancées par A. Siegfried, il faut ajouter le sentiment de force qu'ont puisé les Bretons dans une prospérité économique fondée sur leur vocation maritime [35]. Pendant toute cette période,

34. *Tableau politique de la France de l'Ouest sous la Troisième République*, Paris, Armand Colin, 1964, réédition, p. 110.
35. Cf. sur ce point le témoignage de Mlle KERHUEL, économiste, au procès des membres du FLB, en octobre 1972, *FLB 72 — Procès de la Bretagne*, Saint-Brieuc, édit. Kelenn, 1973, p. 143-148.

bien que les notables bretons ne cessent de revendiquer une autonomie politique formelle, les intérêts économiques et commerciaux contribuent à lier davantage la bourgeoisie locale à la capitale.

Ce sont le renversement de la politique économique française au début du XIXᵉ siècle et l'abandon du libre-échange pour faciliter l'industrialisation qui, rendant contradictoires les intérêts de la Bretagne et de l'Etat, sonnent le glas de la prospérité bretonne et fournissent un terrain favorable à l'enracinement du particularisme. La première manifestation de ce particularisme se limite essentiellement à des revendications de type linguistique, culturel, et se « révèle le support d'une idéologie bourgeoise à laquelle correspond une pratique politique conservatrice quand ce n'est pas contre-révolutionnaire » [36].

Mais ni la droite ni la gauche ne parviennent, malgré des tentatives répétées [37], à transformer les revendications culturelles initiales en mouvement politique doté d'une audience réelle. L'originalité de l'action autonomiste bretonne est même d'être toujours demeurée en marge des expressions partisanes traditionnelles [38]. L'évolution électorale de la Bretagne ne se différencie guère de celle qu'on observe dans le reste de la France [39]. Pas plus qu'il ne remet en cause la stabilité des comportements électoraux, le malaise régional n'empêche la Bretagne de participer au processus de bipolarisation des forces politiques observables au niveau national. Ici comme ailleurs, on assiste à partir de 1962

---

36. J.-Y. Guiomar, présentation à Masson (Emile), *Les Bretons et le socialisme*, Paris, Maspero, 1972, p. 70.

37. Dès avant 1914, le courant socialiste entretient des relations avec le nationalisme breton. Yann Sohier et Emile Masson, enseignants laïcs, militent activement au sein du Parti national breton et de Breiz Atao. Emile Masson, socialiste libertaire, est convaincu de l'importance de la liaison entre question nationale et pénétration du socialisme en Bretagne. Il reste relativement isolé, le courant socialiste tenant dans son ensemble à se démarquer de l'autonomisme. Alors que la SFIO partage, quelques années plus tard, cette réserve, le PCF, dans le cadre de sa politique anticolonialiste des années trente, s'intéresse aux mouvements bretons. En 1933, Marcel Cachin, originaire de Paimpol, vient apporter son soutien à l'action de Yann Sohier dans les campagnes. *L'Humanité* salue « le mouvement confus de libération des masses bretonnes » et dénonce « l'écrasement de la civilisation celtique par la France, l'abandon culturel où le pays dominateur a laissé la Bretagne ». Cf. Morvan-Lebesque, *Comment peut-on être Breton ?*, Paris, Le Seuil, 1970, p. 170.

38. Les tendances séparatistes de certains mouvements ne les prédisposaient pas à engager la lutte à l'intérieur des institutions d'un Etat dont ils ne reconnaissent pas la légitimité. La collaboration d'une partie d'entre eux avec l'occupant, pendant la dernière guerre, a encore accentué leur isolement.

39. « La permanence extraordinaire du comportement politique, phénomène qui n'est pas particulier à la Bretagne ... se manifeste ici avec un degré extrême. Les recherches récentes de géographie électorale montrent que les cartes dressées par A. Siegfried au début du siècle pour limiter les domaines géographiques de la droite et de la gauche sont identiques, souvent à une commune près, avec les cartes relatives aux élections présidentielles de 1965. Cette permanence de l'opposition entre pays de droite et pays de gauche, entre « blancs » et « bleus », entre « chouans » et « républicains » est d'autant plus solide que son origine remonte au moins au XVIIIᵉ siècle avec la révolte des Bonnets Rouges. » Philipponneau (Michel), *Debout Bretagne !*, Saint-Brieuc, Presses universitaires de Bretagne, 1970, p. 116.

à un ralliement — peut-être plus prononcé que dans l'ensemble du pays — de la droite conservatrice au gaullisme.

Ce ralliement, comme dans beaucoup d'autres régions, se fait par l'intermédiaire des notables centristes, sans bouleversement de la classe politique en place. Les années 1950 voient le réveil d'un régionalisme qui se manifeste un peu partout en France avec l'éclosion de comités régionaux. Un Comité d'études et de liaison des intérêts bretons (CELIB) est créé en Bretagne, à l'initiative de quelques notables rassemblés autour de Joseph Martray. Le CELIB se fixe pour objectif « d'associer l'étude et l'action, d'établir un lien entre responsables politiques et économiques, d'être le porte-parole des forces vives de la Bretagne auprès des pouvoirs publics » [40]. La Bretagne, ou du moins ses notables, pense alors que la solution au problème régional réside dans une politique de concertation avec les représentants du pouvoir central.

Pendant une dizaine d'années, le CELIB fonctionne avec un certain succès. S'il n'a pas d'assises populaires, il conquiert, par la qualité de ses travaux, une audience qui dépasse la Bretagne et contribue à ce que les « technocrates parisiens » l'associent à la préparation des plans nationaux. Un premier plan breton voit le jour en 1956, lorsque la Quatrième République lance sa première expérience de politique décentralisatrice. Le financement de l'Etat demeure très en deçà des engagements pris et, déjà, le CELIB en est réduit à administrer la pénurie. Structure de concertation, le comité contribue au développement de l'infrastructure bretonne, en même temps qu'il désamorce provisoirement l'expression possible d'une opposition politique bretonne au pouvoir central. Le choix d'une politique de négociation avec Paris, par l'intermédiaire des notables politiques [41], implique à plus ou moins long terme leur ralliement au pouvoir. Le succès du gaullisme aux élections de 1962 s'inscrit dans la logique de la voie tracée par le CELIB. Une meilleure intégration politique devant favoriser une meilleure redistribution des richesses nationales, les Bretons suivent les notables qui ont accepté l'investiture

40. La composition même de cette assemblée est significative de l'analyse qui est faite de la crise bretonne. Pour résoudre des problèmes perçus comme exclusivement économiques, le comité s'autorecrute sur la base d'une triple compétence : connaissance des besoins des acteurs économiques (représentants des organismes professionnels, des Chambres de commerce et d'industrie, des Chambres d'agriculture et de métiers, des syndicats ouvriers à l'exception de la CGT jusqu'en 1961), connaissance des besoins d'équipements (maires et conseillers généraux), connaissance enfin des moyens d'action sur le pouvoir. Les parlementaires bretons qui siègent au CELIB contribuent à lui donner le caractère d'un groupe de pression. Cette assemblée, dont les zones d'influence couvrent tous les domaines de l'activité bretonne, s'adjoint la collaboration d'universitaires et de représentants d'organisations culturelles qui jouent le rôle de conseillers techniques. Cette composition est aussi, plus largement, le reflet d'une certaine approche du politique, dans les années 1950-1960, cf. *supra*, p. 7, note 1.

41. Rappelons le rôle de R. Pleven qui par son livre *Avenir de la Bretagne* (Paris, Calmann-Lévy, 1961, 256 p.) et son action personnelle auprès du chef de l'Etat contribue à faire accepter par le gouvernement le projet d'un deuxième plan breton en 1962.

de l'UNR d'autant plus facilement que ceux-ci ont arraché à la veille du scrutin l'acceptation gouvernementale d'une nouvelle loi-programme.

En dépit de ces espérances, le ralliement politique ne renforce pas le pouvoir d'action du CELIB. Les parlementaires bretons deviennent les otages d'un pouvoir représentant des intérêts objectivement opposés à ceux qu'ils se sont engagés à défendre. En donnant le coup d'envoi à l'Europe économique libérale, en se séparant définitivement des restes de l'empire colonial, le chef de l'Etat et la Cinquième République mettent fin au débat entre tenants d'un capitalisme traditionnel de repli et tenants d'un néo-capitalisme de dimension internationale, tranchant en faveur des seconds. L'adaptation correspondante des structures économiques françaises implique désormais une politique sélective d'aide de l'Etat à la reconversion et au développement industriel, axée sur les régions naturellement ouvertes sur l'Europe. Dans cette perspective nouvelle d'un jacobinisme politique au service d'un capitalisme international, les chances de la Bretagne de participer à la croissance nationale sont d'autant plus réduites et la politique du CELIB n'a plus de raison d'être.

Seules des manifestations populaires de mécontentement peuvent inciter le gouvernement à prendre, sous la pression des circonstances, des mesures d'apaisement contraires à sa politique nationale, mesures qu'il tente ultérieurement d'annuler [42]. On se trouve alors en présence d'une attitude apparemment paradoxale qui conduit les Bretons à faire preuve d'une opposition parfois spectaculaire et violente à la politique gouvernementale, dans le même temps où ils contribuent par leurs votes à assurer — plus massivement que la moyenne des Français — une assise électorale à la Cinquième République.

L'EXPRESSION POLITIQUE RÉCENTE DE CE MALAISE

L'échec du CELIB suscite depuis une dizaine d'années le développement de nouvelles formes d'action, tandis que de nouveaux supports politiques sont recherchés à travers les syndicats ouvriers et paysans, la nouvelle gauche et quelques membres du clergé local engagés à titre individuel.

A partir de 1960, la paysannerie prend l'initiative d'actions directes qui vont avoir valeur d'exemple pour d'autres catégories sociales défavorisées. Les intéressés dirigent désormais eux-mêmes leur action contre les responsables présumés du malaise agricole : dans un premier temps les pouvoirs publics (prise de

---

42. La loi-programme promise en 1962 n'est pas portée en discussion devant le Parlement. La réforme régionale de 1964 se donne pour objectif une harmonisation de la croissance au niveau des régions et crée une instance concurrente au CELIB — la CODER — qui introduit un écran entre le comité breton et le pouvoir central.

la préfecture de Morlaix en 1962), dans un second les propriétaires terriens jugés responsables de la spéculation foncière (manifestations anticumul) et les coopératives agricoles (manifestations, grève du lait).

Dès 1957-1958, des contacts avaient été pris entre agriculteurs et responsables de la CFTC, les uns et les autres généralement issus des mouvements d'action catholique [43]. Le 26 juillet 1962, un communiqué commun de la FDSEA et du CDJA du Morbihan affirme que « seule l'unité des deux classes laborieuses pouvait faire face aux manœuvres des puissances financières » [44]. Parallèlement à ces contacts et à ces prises de position, et indépendamment du caractère violent de certaines actions, le courant moderniste [45] poursuit une politique réformiste qui reprend l'essentiel des thèses du CNJA sur la coopération. A cette époque, « l'alliance des paysans et des ouvriers est fondée tout autant sur une collaboration géographique que sur une solidarité de classe » [46].

1968 marque un tournant, avec la pénétration du PSU dans des cercles relativement importants de responsables de syndicats agricoles en Bretagne, où s'exerce l'influence de Bernard Lambert, secrétaire général de la Fédération régionale des syndicats d'exploitants agricoles de l'Ouest et adhérent du Parti socialiste unifié depuis 1966. Sous l'impulsion d'un certain nombre de militants du Centre régional des jeunes agriculteurs, « la solidarité n'est plus évoquée au travers des intérêts communs de deux groupes sociaux différents vis-à-vis du « développement » d'une région déterminée, mais très clairement sur une position commune au sein des luttes sociales » [47]. Les analyses de Bernard Lambert, distinguant, au sein des paysans « exploités » les paysans « paupérisés ou pauvres » et les paysans « prolétarisés » [48] sont reprises actuellement par les militants les plus engagés du mou-

43. Cf. WRIGHT (Gordon), *Rural revolution in France, The peasantry in the twentieth century*, Stanford, Stanford University Press, 1964, p. 174-177.
44. Cité par NALLET (Jean-François), dans « La Fédération régionale des syndicats d'exploitants agricoles de l'Ouest », *L'univers politique des paysans*, Paris, Armand Colin, 1972, p. 425.
45. Composé d'agriculteurs soucieux de rentabiliser à travers le développement d'une agriculture associative des investissements qui les ont endettés.
46. NALLET, *ibid.*, p. 432-436.
47. NALLET, *ibid.*, p. 443.
48. Les paysans paupérisés sont « ceux qui, travaillant sur de petites exploitations, n'ont pas pris le risque de se lancer dans des investissements permettant d'industrialiser la production. Ils sont exploités à la fois par les gros agrariens qui utilisent leur misère pour obtenir des aides publiques dont ils accaparent la plus grande partie et par le pouvoir politique qui, pour le compte du capitalisme, accélère leur départ en limitant de plus en plus leur revenu. Ils deviennent alors des déracinés prêts à occuper une fonction de manœuvre dans l'industrie quel que soit le montant des salaires » ; les paysans prolétarisés « se sont, eux, engagés dans la modernisation intensive ... . Ils se sont endettés dans de grandes proportions et se trouvent en fait entièrement dominés par les industries et coopératives qui leur fournissent l'approvisionnement et le débouché de leur production. Exploités en tant que travailleurs, ils sont progressivement dépossédés des véritables moyens de production. » *Les paysans dans la lutte de classes*, Paris, Le Seuil, 1970, p. 78-79.

vement paysan (cf. *infra*, p. 64 et suiv.). Les succès obtenus, tout au moins au début, par ce recours à l'action directe comme moyen d'expression politique, encouragent par ailleurs les actions de commando qui se multiplient à partir de 1966, avec le Front de libération de la Bretagne. De l'aveu même des membres du FLB inculpés en 1972, cette émergence d'une action clandestine serait également en rapport avec la découverte, par les appelés bretons en Algérie, du colonialisme français et de la pratique wilayiste des nationalistes algériens. Sans aller jusque-là, on peut dire que le drame algérien a joué un rôle important dans la prise de conscience du problème breton, même chez les adversaires des méthodes pratiquées par le FLB.

L'Union démocratique bretonne, née en 1964 de la scission de l'aile gauche du Mouvement d'organisation de la Bretagne [49], tire de l'expérience algérienne de ses militants son thème de réflexion et de combat : la Bretagne est-elle une colonie ? « Voulant regrouper les forces qui jusqu'alors se maintenaient à l'écart du mouvement breton en raison de son nationalisme outrancier ou de son régionalisme conservateur », l'UDB n'est pas devenue le parti de la nouvelle gauche bretonne qu'elle aurait pu être si elle avait bénéficié du soutien des clubs et des partis de la gauche traditionnelle. Son action demeure limitée quant à son ampleur et son retentissement. L'activité de ses militants se concentre dans le Finistère autour de Brest, et dans l'Ille-et-Vilaine à Rennes, témoignant des liens privilégiés qui unissent l'UDB aux milieux enseignants et étudiants [50]. Les événements de mai-juin 1968 et l'intérêt nouveau porté par une partie de l'extrême-gauche à la question bretonne entraînent une crise qui se traduit par une réorganisation des statuts. Le contrôle du comité directeur sur l'action des sections locales est renforcé au nom du centralisme démocratique, faisant apparaître, pour certains, l'UDB comme un groupe situé dans la mouvance du PCF, sur les positions duquel elle s'aligne fréquemment.

Parallèlement à ce renouvellement des formes d'action politique, le mouvement culturel s'organise. Les recherches menées sur la langue bretonne s'apparentent aux travaux entrepris dans le passé. Mais, en marge de ces études, la culture bretonne, longtemps combattue par les instituteurs de la République, devient un attribut valorisant auprès d'un public de plus en plus large. Les jeunes autonomistes recherchent le support populaire qui avait permis la survie du parler breton avant que ne s'en empare

---

49. Premier rassemblement breton de l'après-guerre, regroupant des autonomistes de tous horizons politiques au sein d'un club dont les aspirations majoritaires recouvrent celles d'un régionalisme modéré du type CELIB.

50. Au moment de sa création, l'UDB compte 15 membres fondateurs. En 1967, elle atteint 205 membres, puis 360 en 1972. A son congrès d'avril 1973, 47 % de ses adhérents relèvent de l'Education nationale (23 % d'enseignants, 17 % d'étudiants et 7 % de lycéens), 23 % sont des employés. 11 % des techniciens, 3 % des cadres et 7 % sont sans profession ou retraités, 9 % appartiennent à des catégories socio-professionnelles diverses.

le romantisme celtique du XIXᵉ siècle. On assiste à une renaissance des supports artistiques populaires [51]. Renouant avec la tradition qui veut que la chanson soit porteuse d'histoire, poètes et chanteurs — souvent issus de milieux populaires comme Glenmor, Servat — puisent l'inspiration de leur texte dans les luttes sociales. La culture bretonnante et populaire devient, comme la culture occitane, une culture engagée.

Les Côtes-du-Nord et Saint-Brieuc au regard de la crise bretonne

La sensibilisation au conflit du Joint français se manifeste d'abord à Saint-Brieuc [52] puis dans le département. Sa dimension régionale n'apparaît pas immédiatement. Dans ces conditions, le caractère « breton » du conflit mis en avant par les observateurs postule implicitement que les caractéristiques économiques et politiques de Saint-Brieuc et des Côtes-du-Nord sont assimilables à celles de la Bretagne.

UN RETARD ÉCONOMIQUE ACCENTUÉ

A l'évidence, les départements bretons n'ont pas abordé avec les mêmes atouts la période de décollage économique des années 1962-1964, de même qu'ils ont inégalement bénéficié des mesures de modernisation récemment mises en œuvre. L'Ille-et-Vilaine, grâce au développement de Rennes, connaît une situation bien plus enviable que celle de l'ensemble de la région. Les Côtes-du-Nord ont en revanche moins participé à la croissance que l'examen des bilans régionaux ne permettrait de le penser.

Le handicap démographique qui caractérise l'ensemble de la Bretagne se trouve particulièrement accentué dans les Côtes-du-Nord. La chute constante du taux d'accroissement démographique naturel jointe à l'importance des mouvements migratoires font que le département connaît, entre 1962 et 1968, le taux de croissance de population le plus faible de la région [53]. Cette stagnation quantitative est aggravée par une évolution défavorable de la structure par âges de la population : la part des plus de 65 ans

51. « Le folklore s'inversa ; cessant de se figer dans un spectacle truqué pour autrui, il tourna ses regards vers lui-même, il joua *pour lui*, et cette mutation le conduisit à son double emploi actuel enfin efficace : d'une part les grands rassemblements celtiques qui affirment le fait breton par leur masse ... et de l'autre le retour à l'expression intérieure, le Festnoz, chants, récitations, contestations publiques », MORVAN-LEBESQUE, *op. cit.*, p. 182-183.
52. Cf. *infra*, p. 71 et suiv.
53. Taux d'accroissement démographique naturel du département : 5,6 % en 1958 et 3,7 % en 1968. Taux de croissance de la population entre 1962 et 1968 : + 0,8 % pour les Côtes-du-Nord, + 3 % pour la Bretagne, + 7 % pour l'ensemble de la France. Cf. COMITÉ D'EXPANSION ÉCONOMIQUE ET DE PRODUCTIVITÉ DES CÔTES-DU-NORD, *Eléments d'études sur la démographie des Côtes-du-Nord*, Préfecture de Saint-Brieuc, août 1970, doc. ronéo., p. 8 et suiv.

tend à augmenter. Ce phénomène de vieillissement n'est pas étale. Il affecte plus particulièrement les communes rurales dont la position géographique implique l'éloignement des centres urbains. A l'inverse, Saint-Brieuc et les communes suburbaines rajeunissent. Le regroupement des équipements scolaires au chef-lieu du département contribue à ce rajeunissement. Bien qu'en constante progression depuis 1962 du fait de la croissance de certains centres comme Saint-Brieuc, Lannion et Loudéac, le taux d'urbanisation des Côtes-du-Nord demeure en 1968 le plus faible de la région [54]. La redistribution de la population dans les villes n'a pas eu pour pôle d'attraction le chef-lieu du département. Proportionnellement, Saint-Brieuc a moins profité que Lannion et Loudéac de l'afflux de la population rurale. Son rythme de croissance ne la situe qu'au septième rang pour le département [55]. Les conséquences de cette évolution démographique se répercutent sur la structure de la population active.

On se trouve, au niveau départemental, en présence d'une population active stagnante — 205 972 actifs en 1962, 205 500 en 1968 — dont la part dans la population totale a encore diminué [56].

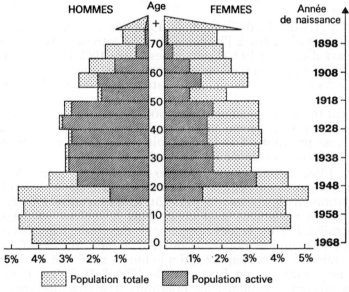

Source : ROGIER (A.), *Population et population active de Saint-Brieuc*, Rennes, Mémoire de maîtrise de géographie, décembre 1970, p. 147.

---

54. Le taux d'urbanisation est de 26,4 % en 1962 pour les Côtes-du-Nord, et de 36,8 % en 1968 alors qu'il est de 49 % pour la Bretagne cette dernière année. Cf. CEEP des Côtes-du-Nord, *Eléments d'étude sur la démographie des Côtes-du-Nord*, p. 14.
55. TOINARD (Roger), *Industrie et main-d'œuvre...*, op. cit., p. 3.
56. Le taux d'activité est de 41,1 % en 1962 et de 40,5 % en 1968. Cf. CEEP des Côtes-du-Nord, *Evolution et perspectives de l'emploi dans les Côtes-du-Nord*, Préfecture de Saint-Brieuc, mai 1971, doc. ronéo., p. 1.

Le poids des personnes âgées et des enfants se fait cruellement sentir et ce phénomène est encore aggravé par le déséquilibre entre population active féminine (en augmentation de 1,7 % de 1962 à 1968) et population active masculine (en régression de 1,1 % pendant la même période) [57].

La répartition de la population active entre les différents secteurs d'activité met en évidence le déséquilibre de la structure socio-économique du département :

Tableau 5. **Répartition de la population active** (en %)

	Côtes-du-Nord	Bretagne	France
Secteur primaire	41,3	35,2	15,7
dont agriculture	40,7	32,9	
Secteur secondaire	22,7	27,2	39,6
Secteur tertiaire	36,0	37,6	44,7

Source : INSEE, *Recensement de 1968*, sondage au 1/20e.

Les Côtes-du-Nord accusent en 1968 une sur-représentation du secteur primaire, due à l'importance de l'activité agricole, malgré le départ d'environ 19 600 personnes entre 1962 et 1968. La catégorie des exploitants est plus importante que la moyenne régionale [58] et les départs de cette catégorie restent inférieurs aux mouvements observés dans les autres départements bretons. Relativement moindre qu'au niveau régional, cet exode rural n'en pose pas moins un problème pour l'agglomération briochine. Saint-Brieuc, ne pouvant offrir les emplois industriels correspondants, en est réduite au rôle de « ville-relais » à l'exode.

En 1968, l'importance du sous-équipement industriel dans le département contraste avec l'ampleur du mouvement d'industrialisation entrepris six ans plus tôt. Alors qu'entre 1954 et 1962, 758 emplois seulement sont créés dans le secteur industriel, la décentralisation et le développement des industries bretonnes créent 8 792 emplois nouveaux de 1962 à 1968. Mais les Côtes-du-Nord restent le département qui a le moins participé à la création d'emplois nouveaux en Bretagne de 1954 à 1967 [59]. A l'intérieur de ces nouveaux emplois, les créations d'origine bretonne l'emportent largement sur celles résultant de décentralisations.

57. CEEP des Côtes-du-Nord, *L'emploi dans les Côtes-du-Nord*, Préfecture de Saint-Brieuc, août 1970, p. 4.
58. 36,4 % dans les Côtes-du-Nord, contre 29,7 % en Bretagne, CEEP, *L'emploi dans les Côtes-du-Nord, op. cit.*, p. 14.
59. 12,7 % d'emplois créés dans les Côtes-du-Nord, 15,3 % dans le Finistère, 17,7 % dans le Morbihan et 54,3 % dans l'Ille-et-Vilaine, cf. TOINARD, *Industries et main-d'œuvre, op. cit.*, p. 36.

Tableau 6. Création d'emplois de 1954 à 1967

	Nombre d'établissements		Effectifs	
Créations par décentralisation	46	soit 17,4 %	6 831	soit 43,3 %
Créations d'origine bretonne	219	82,6	8 932	56,7
Total	265	100,0	15 763	100,0

CEEP, *Evolution et perspectives de l'emploi dans les Côtes-du-Nord, op. cit.*, p. 5.

Outre son insuffisance quantitative, la décentralisation a tenu relativement à l'écart l'agglomération briochine. Lannion est la ville qui a le plus bénéficié des effets de la décentralisation (34 % des nouveaux emplois du département, essentiellement dans l'électronique). D'aucuns attribuent à des raisons politiques (affiliations partisanes des municipalités) une industrialisation réalisée en grande partie au détriment de Saint-Brieuc [60]. Quoi qu'il en soit, la décentralisation accomplie reste insuffisante pour modifier la structure traditionnelle de l'industrie du département où prédominent les petites et moyennes entreprises.

Tableau 7. Répartition des entreprises suivant le nombre de salariés

	moins de 9	10 à 49	50 à 199	200 et plus	Total
Nombre d'établissements	215	450	85	11	761
soit, en %	28,25	59,14	11,16	1,45	100

CEEP, *Situation actuelle de l'industrialisation dans les Côtes-du-Nord et perspectives d'évolution*, Préfecture de Saint-Brieuc, octobre 1970, p. 18.

Plus des trois quarts (87,4 %) des établissements du département emploient moins de 50 personnes. La ventilation des salariés actifs de l'industrie souligne, dans la catégorie ouvriers, le poids de la main-d'œuvre peu ou pas qualifiée : sur les 22,4 % d'ouvriers, 14,8 % sont manœuvres ou OS, alors que 7,6 % seulement appartiennent à la maîtrise ou sont qualifiés [61].

60. « Est-ce de la témérité que de noter dans ces localités la présence de notables ayant pignon sur rue auprès de divers ministères et du gouvernement tout entier : M. Bourdelles, M. Blandin et M. Marzin à Lannion, M. Ollivro député-maire de Guingamp, le docteur Etienne, Mlle Dienesch et M. Glon à Loudéac, M. Pleven à Dinan : ceci ne pourrait-il pas expliquer cela ? » TOINARD, *op. cit.*, p. 39. Cette relation entre l'influence politique des notables locaux et le choix des implantations industrielles paraît se vérifier pour Lannion, Guingamp et Loudéac. En revanche elle paraît moins évidente pour Dinan qui a traversé en 1971 une crise économique grave.

61. CEEP, *L'emploi dans les Côtes-du-Nord, op. cit.*, p. 11.

L'importance des catégories artisans, commerçants et patrons de l'industrie et du commerce (22,4 % de la population active contre 9,7 % seulement au niveau national) renforce encore le caractère archaïque du secteur industriel. Cette évolution se retrouve pour Saint-Brieuc où, de 1962 à 1968, la catégorie ouvriers ne s'accroît que de 22,1 % — dont 857 OP, 263 OS, 413 manœuvres et 41 contremaîtres — contre 47,7 % pour la catégorie cadres moyens et 47,4 % pour les employés [62].

Si l'on dresse un bilan par branche d'industrie, la situation du département est aussi précaire. Les industries en progrès entre 1954 et 1968 sont celles qui sont les plus liées à la conjoncture (bâtiment et travaux publics, + 79,8 %), qui dépendent d'un secteur agricole condamné à régresser (industries agro-alimentaires, + 36,9 %), ou qui, regroupées au chef-lieu du département, emploient une main-d'œuvre féminine mal rémunérée (confection et brosseries emploient environ 400 salariées chacune en 1971). Plus rassurantes quant à l'avenir de l'emploi, les industries mécaniques et électriques figurent aussi parmi les branches en progrès mais elles ne représentent que 17,5 % de l'activité industrielle totale [63]. L'hypertrophie du secteur tertiaire achève de caractériser la structure économique départementale. Ce secteur est essentiellement centré sur Saint-Brieuc : un actif briochin sur quatre est employé dans le commerce, la banque ou l'assurance.

UNE SITUATION POLITIQUE ORIGINALE

Politiquement, le département des Côtes-du-Nord et, surtout, la région briochine s'assimilent difficilement à l'Ouest français. L'évolution globale de la gauche et de la droite entre 1967 et 1968 dans le département s'oppose à celle de la Bretagne comme à l'ensemble de la France. Les partis de gauche maintiennent en 1968 les positions acquises l'année précédente, tandis qu'à l'inverse le bloc conservateur, bien que toujours majoritaire, régresse de 1,5 %. A l'intérieur de ce clivage gauche-droite, l'examen des équilibres partisans est révélateur.

Si les électeurs conservateurs votent en majorité pour les candidats de la Cinquième République, ils ne le font qu'avec modération, dans une proportion non seulement inférieure à celle de la Bretagne mais aussi à celle de l'ensemble national.

La droite d'opposition est représentée par deux forces : le MRP dont l'implantation est fortement liée à la pratique religieuse encore en vigueur dans une partie du département, et le « radicalisme plevéniste » qui doit à la personnalité de son leader, R. Pleven, la confiance de la bourgeoisie de l'Est du département qui votait naguère pour les Indépendants.

62. ROGIER (A.), op. cit., p. 162.
63. CEEP, Situation actuelle de l'industrialisation..., op. cit., p. 10.

Le niveau des voix recueillies par la gauche non communiste s'inscrit dans la moyenne régionale, mais le PCF connaît dans le département une audience non seulement supérieure à l'ensemble de la Bretagne, mais aussi à sa moyenne nationale.

La répartition géographique des zones de force partisanes n'a que peu évolué depuis la Troisième République. Le clivage culturel et linguistique entre partie bretonnante et pays gallo [64], qui séparait la Bretagne républicaine et progressiste de l'Ouest de la région monarchiste et conservatrice de l'Est, demeure une réalité politique. A ce clivage ancien s'ajoute désormais — plus pour le nuancer que pour l'infirmer — une opposition économique et sociale entre la région côtière, où s'établissent surtout des retraités et des pensionnés, et l'intérieur du département où s'accentue la paupérisation des petits propriétaires terriens.

A la charnière du pays gallo et au cœur de la région côtière, Saint-Brieuc se caractérise à la fois par l'ancienneté d'une tradition social-démocrate [65] et par les divisions internes du bloc conservateur, incapable de se doter de leaders reconnus et acceptés durablement [66]. Ceci explique que l'électorat gaulliste s'y soit constitué plus rapidement, mais moins massivement, qu'à Loudéac par exemple. L'électorat modéré, non négligeable, joue, de la même manière que le PCF à l'intérieur de la gauche, le rôle d'arbitre dans les luttes qui opposent les candidats de la majorité à ceux de la gauche non communiste. Cette dernière n'a cessé de se développer depuis 1958. L'élargissement de son audience est lié non seulement à la personnalité de ses dirigeants, dont Antoine Mazier [67], mais aussi à la politique d'unité d'action poursuivie localement avec le PCF, et au recrutement dans certains milieux catholiques progressistes déçus par l'évolution du MRP.

A la faveur d'une erreur tactique de la droite aux élections municipales de 1959 — l'évêque de Saint-Brieuc ayant donné

64. L'influence du particularisme breton se développe à partir de la Basse-Bretagne, ou Bretagne bretonnante, par opposition au pays gallo qui s'étend à l'Est d'une ligne partageant la province du Sud-Est (Pontivy, Vannes) au Nord-Ouest (Plouha).

65. Les socialistes des Côtes-du-Nord sont représentés en 1900 au Congrès de la salle Wagram « par le docteur Boyer, délégué du seul groupe existant à ce moment-là : celui de Saint-Brieuc. » HUBERT-ROUGER, *La France socialiste*, tome II de l'Encyclopédie socialiste, Paris, Quillet, 1913, p. 223.

66. Depuis 1962, les candidats de la majorité et de la droite d'opposition se renouvellent pratiquement à chaque scrutin.

67. Enseignant d'origine auvergnate, Antoine Mazier s'installe et milite à Saint-Brieuc à la veille de la seconde guerre mondiale. Député en 1946, conseiller municipal briochin pendant toute la Quatrième République, c'est à l'époque un des leaders de la fédération des Côtes-du-Nord de la SFIO. En désaccord avec la politique mollettiste en 1958, il entraîne la presque totalité de la fédération au Parti socialiste autonome (PSA), puis au PSU.

« Il est curieux de constater que c'est justement pendant cette période troublée, qui fut sur le plan national marquée par le recul de la SFIO, que le socialisme progressera dans la région briochine, particulièrement lors des élections de 1962. » SAUNIER (C.), *Géographie politique des Côtes-du-Nord*, Diplôme d'études supérieures, Rennes, novembre 1966, doc. dactyl., p. 89.

en chaire des consignes de vote précises le jour du scrutin, ces élections gagnées par la droite sont annulées trois ans plus tard — une équipe d'union populaire composée du PSU, du PCF, de la SFIO et de l'Action travailliste [68] obtient la majorité au conseil municipal. En 1965 comme en 1971, la municipalité sortante d'union populaire à direction PSU est réélue, Y. Le Foll remplaçant A. Mazier disparu en 1962.

En définitive, si la crise régionale touche particulièrement les Côtes-du-Nord et Saint-Brieuc sur le plan économique, au moment du déclenchement de la grève du Joint, le département et son chef-lieu ne participent guère au renouveau de l'identité bretonne. Une longue tradition politique de gauche les oppose même, sur le plan politique, au reste de la province.

Les OS du Joint se révoltent contre des conditions salariales devenues inacceptables et contre une discipline tatillonne. Insérés dans un trust aux ramifications internationales, ils s'opposent à une direction locale sans pouvoirs. De nombreux autres conflits concernant également des usines décentralisées dans des villes d'importance moyenne se déroulent au même moment ; si la grève du Joint prend valeur de symbole — négatif ou positif — c'est moins par ses caractéristiques propres que par les caractéristiques du mouvement de soutien qui l'accompagne.

68. Action travailliste : scission progressiste du MRP local.

CHAPITRE II

Solidarité de classe,
classes solidaires et unanimisme

Le 13 mars 1972, des ouvriers de l'équipe de nuit occupent déjà l'usine lorsque les délégués arrivent avec l'équipe du matin.

« La grève a été votée à 60-80 % ... mais même si c'était voté, il y aurait eu quand même un certain pourcentage de travailleurs qui seraient venus, et à partir de ce moment-là, les ouvriers ont dit : " Il faut un piquet de grève et il faut fermer les barrières ". Ils avaient déjà essayé de le faire quelques jours auparavant et finalement, on a dit : " Bon, on va mettre un piquet de grève, et il n'y aura pas grand monde qui passera de toute façon ". Mais le lundi matin, lorsque les responsables sont arrivés, il y avait déjà un piquet de grève, les barrières étaient déjà fermées, et il y avait derrière ces barrières deux... peut-être trois cents ouvriers... A ce moment-là, ils nous ont dit : " Vous savez, c'est comme ça : ou vous êtes avec le patron, ou vous êtes avec les ouvriers ", alors il fallait choisir et il n'était pas question d'être avec le patron évidemment. A partir de ce moment-là, on s'est mis derrière les grilles, avec les ouvriers ... . »
(Déléguée CGT, interviewée après le conflit.)

Dans la matinée, les grévistes apprennent que M. Fours (le directeur général de la société du Joint français) et M. Richet (directeur du personnel pour l'ensemble des établissements) sont en route vers Saint-Brieuc. Dans le même temps, la direction locale fait constater l'occupation des locaux par voie d'huissier. En début d'après-midi, à l'occasion d'un bref meeting aux portes de l'usine, les délégués syndicaux invitent le personnel présent à « rester vigilant et résolu ».

Ouest-France et *Le Télégramme* consacrent presque une page entière à l'événement. Saint-Brieuc, puis la Bretagne et, enfin, la France entière vont vivre durant plusieurs semaines à l'heure du Joint français. L'histoire de la grève est désormais autant — sinon davantage — l'histoire du mouvement de solidarité qui l'accompagne. En effet, l'issue du conflit, au fur et à mesure qu'il se prolonge, dépend de plus en plus de l'évolution du rapport de forces établi à l'extérieur de l'entreprise ; le développement du mouvement de solidarité commande sur le terrain les pratiques syndicales et politiques. Par ailleurs, en se développant et en prenant une dimension nationale, ce mouvement échappe en partie aux déterminants contextuels qui lui ont donné naissance.

UNE SOLIDARITÉ DE CLASSE

L'occupation de l'usine ne surprend guère la classe politique briochine, sensibilisée aux difficultés économiques locales et à la lente détérioration du climat existant au Joint français[1]. Le 4 mars déjà, envisageant un éventuel durcissement du conflit, l'hebdomadaire de la fédération PSU des Côtes-du-Nord appelle ses lecteurs à manifester leur solidarité financière[2] :

> «... L'important, si les revendications n'aboutissent pas et si le mouvement doit se transformer en grève prolongée, c'est la solidarité. Nos camarades et nos lecteurs sauront quoi faire sans attendre le prochain numéro du *Combat socialiste*. Ils peuvent utiliser le CCP du journal en précisant le motif de leur envoi.»

Cette sensibilisation, avant même que le conflit n'éclate, explique la rapidité avec laquelle un certain nombre d'organisations politiques et syndicales apportent leur soutien aux grévistes, en se réclamant plus ou moins explicitement d'une solidarité de classe. Mais, dès ses premières manifestations locales, la solidarité reproduit les clivages existant au niveau national au sein de la gauche.

et les divergences rencontrées
Les premières manifestations de solidarité

Les forces intervenant dans le conflit se regroupent rapidement autour de deux pôles : d'un côté, le Parti communiste et les organisations de masse que ses militants animent au niveau départemental (CGT, FEN, MODEF) ; de l'autre, les mouvements présents dans le comité de soutien briochin (PSU, Ligue communiste, FDSEA, CDJA, Amis de *Politique Hebdo*, comités lycéens, Foyer Paul Bert[3]). Proche des seconds — en raison notamment de l'appartenance de nombre de ses militants au PSU — mais soucieuse de ne pas s'isoler syndicalement (cf. *infra*, p. 105), la CFDT refuse de se situer trop ouvertement par rapport à l'un ou l'autre de ces deux pôles. La CGT-FO suit le premier, le PS adhère formellement au comité de soutien, mais ces deux organisations, très faiblement implantées à Saint-Brieuc, n'apparaissent pratiquement pas dans l'événement.

---

1. *Ouest-France* et *Le Télégramme* rendent compte, régulièrement et dès la fin de février, des premiers débrayages.
2. « Saint-Brieuc : les travailleurs du Joint à la recherche d'un interlocuteur valable », *Combat socialiste*, 625, 4 mars 1972 (hebdomadaire fondé par A. Mazier).
3. Foyer de jeunes travailleurs.

A ces deux pôles politiques correspond, sans les recouvrir entièrement, une dualité de structures d'intervention dans le soutien.

LA DUALITÉ DES STRUCTURES D'INTERVENTION

Le 14 mars, *Ouest-France* et *Le Télégramme* publient un appel à la solidarité financière du « comité départemental de soutien aux grévistes du Joint français » :

Depuis trois semaines, les travailleurs du Joint français sont en lutte pour l'amélioration de leurs salaires et de leurs conditions de travail.

L'intransigeance de la direction de cette entreprise contraint le personnel, après une période de débrayages et grèves limitées, à une grève totale avec occupation de l'usine.

L'esprit antisocial du patronat du Joint français est, hélas, bien connu et depuis plusieurs années de nombreux conflits ont eu pour même cause le refus de la direction de négocier valablement avec les représentants syndicaux les légitimes revendications du personnel.

Aucun travailleur du département n'ignore ou ne peut plus ignorer cette réalité. C'est la raison pour laquelle le comité départemental de soutien aux grévistes, composé des organisations syndicales CGT, CFDT, FO, FEN, a décidé de lancer un appel départemental à la solidarité.

Les organisations syndicales demandent à leurs militants et responsables d'envisager immédiatement l'organisation des collectes à tous les niveaux, notamment entreprises et quartiers. Les listes de souscription peuvent être retirées au siège des unions départementales et devront être retournées par les responsables au secrétariat de leur organisation respective.

Les fonds sont à adresser au CCP du comité de soutien, J.R. Perennez, CCP 295-99, Rennes.

Le 17 mars, un tract diffusé dans la ville annonce la constitution d'un « comité de soutien à la lutte des travailleurs du Joint » :

Les gardes mobiles ont occupé vendredi matin à 4 h le Joint français et chassé les grévistes les armes à la main.

Ce nouveau coup de force des patrons de la CGE, du pouvoir et de leurs bandes armées montre bien quels moyens les profiteurs de ce régime entendent mettre en œuvre pour s'opposer aux revendications et aux luttes ouvrières. Après Girosteel, Moteur Beaudoin, Penarroya, Paris et aujourd'hui au Joint français le régime montre son vrai visage, celui de la violence légale contre la classe ouvrière en lutte.

Cette agression contre les grévistes du Joint révolte tous les travailleurs.

Tous sentent bien que le patron et le pouvoir veulent faire un exemple et casser le mouvement du Joint pour décourager les revendications et les luttes dans les autres entreprises.

Les organisations et associations qui suivent, conscientes de l'enjeu de cette lutte, non seulement pour les travailleurs mais pour toute la population laborieuse de la région, constituent un COMITÉ DE SOUTIEN A LA LUTTE DES TRAVAILLEURS DU JOINT.

Ce comité développera toutes les initiatives susceptibles de populariser la lutte et de lui assurer le plus large soutien financier et politique. Ce comité est ouvert à toutes les organisations qui souhaitent s'y associer.

Tous les fonds seront versés au CCP de l'intersyndicale :
J.R. PERENNEZ CCP N° 295-99 RENNES

Les organisations invitent tous leurs militants à participer nombreux au meeting intersyndical, mardi 21 mars.

Ces organisations invitent la population briochine à assister à la soirée qu'elles organisent le même jour au théâtre municipal à 21 h. Cette soirée sera précédée d'une projection de films sur les luttes ouvrières.

Le comité de soutien est lancé à l'initiative de : *Parti socialiste unifié, Parti socialiste, Ligue communiste, FDSEA, CDJA, Amis de Politique hebdo, Comités lycéens, Foyer Paul Bert.*

Que se passe-t-il dans le bref intervalle de temps séparant le 17 mars du 14, qui explique l'opposition entre ces deux textes, tant dans leur forme que dans leur fond ? A quoi correspond la dualité des appellations ?

Le mardi 14, réunis au siège de l'Inspection du travail avec les délégués syndicaux, les représentants de la direction font de l'évacuation de l'usine et du libre accès au travail une condition préalable à l'ouverture des négociations [4].

Le lendemain, environ cent cinquante grévistes accompagnent en cortège jusqu'au Palais de justice quatre délégués cités en référé. Le tribunal ordonne l'évacuation de l'usine et J. Lefaucheur dénonce « le comportement provocateur de la direction ».

Le jeudi 16, une tentative de médiation des cadres de l'entreprise échoue, chaque partie reste sur ses positions : pour la direction, l'évacuation constitue un préalable à l'ouverture des négociations ; pour les grévistes, il ne saurait être question d'évacuation avant l'ouverture des négociations.

Le vendredi matin à 4 heures, les gendarmes mobiles évacuent une quinzaine de grévistes de garde dans l'usine et occupent les lieux à leur place. Cette intervention des forces de l'ordre contribue à dramatiser l'événement et à le politiser aux yeux

---

4. Le même jour, aux établissements Paris à Nantes, après l'évacuation des grévistes par la police, les ouvriers non grévistes — qui se sont regroupés en « comité de défense pour la liberté du travail » — rentrent dans l'usine.

de l'opinion publique locale. Elle explique en partie le changement de ton entre l'appel à la solidarité du 14 mars et celui du 17. En revanche, l'intervention des forces de l'ordre ne rend pas compte de la dualité des regroupements organisationnels appelant à la solidarité. Elle ne rend pas davantage compte d'une absence : celle du Parti communiste.

LE COMITÉ INTERSYNDICAL DE SOLIDARITÉ

En avril 1960, à l'occasion d'une grève aux établissements Chaffoteaux-et-Maury, les organisations syndicales briochines mettent en place un « comité intersyndical de solidarité aux victimes des conflits sociaux ». Ce comité, doté d'un CCP, est chargé d'appeler les sections syndicales à des collectes, de réceptionner les fonds et de les redistribuer aux grévistes. La responsabilité financière en est confiée à un trésorier, Jean-Roger Perennez, par ailleurs trésorier de l'UD-CGT et plusieurs fois candidat du PCF à Ploufragan lors des élections municipales.

Après cette grève Chaffoteaux, le CCP dispose d'un reliquat non versé aux grévistes qui ont repris le travail ; cette encaisse représente quelques milliers de francs. Les organisations présentes dans le comité — CGT, CFDT, FO, FEN et SNI — constatent, à propos de ce conflit comme de ceux qui l'ont précédé, qu'un décalage se produit dans le temps entre l'appel à la solidarité, sa mise en œuvre et les premières rentrées d'argent. Elles décident donc de donner à ce comité une existence permanente, ses réserves financières permettant une intervention immédiate en cas de grève.

Ce comité va entrer en action régulièrement, non seulement à Saint-Brieuc — où il intervient en particulier à l'occasion du conflit Sambre-et-Meuse en 1970 (cf. *supra*, p. 28, note 15) et au Joint français pendant des grèves partielles en 1969 et 1971 — mais aussi régionalement (grèves de Saint-Nazaire en 1967 par exemple) et nationalement (grève des mineurs de 1963). Le 13 mars 1972, ce comité intersyndical dispose d'une encaisse de 17 071 francs 15 centimes.

L'ancienneté et le fonctionnement régulier de ce comité intersyndical témoignent de l'existence d'une tradition locale de solidarité et de combativité chez les organisations qui en font partie. Dans ces conditions, l'appel à la solidarité lancé le 17 mars par un comité de soutien ne comble pas une lacune des organisations syndicales locales. Le comité de soutien apparaît même comme une structure parallèle, sinon concurrente, du comité intersyndical [5]. Si sa composition et les circonstances de

5. Pour la commodité de l'exposé, nous parlerons désormais de comité intersyndical de solidarité et de comité de soutien. Le comité intersyndical ne doit pas être confondu avec l'intersyndicale qui regroupe les sections CGT et CFDT du Joint.

sa création conduisent à en faire théoriquement une structure moins concurrente que complémentaire, dans la pratique, avec le prolongement de la grève, une relation conflictuelle se développe entre ces deux structures.

LA CONSTITUTION DU COMITÉ DE SOUTIEN

La constitution d'un comité de soutien, le 17 mars, résulte de la rencontre entre des données structurelles et un ensemble d'événements conjoncturels.

Il faut d'abord rappeler ici l'importance de la population scolaire à Saint-Brieuc (cf. *supra*, p. 43). La concentration des établissements d'enseignement au chef-lieu du département, jointe à l'insuffisance numérique et qualitative des débouchés professionnels, créent un contexte scolaire naturellement favorable à une politisation. De plus, au moment de l'affaire Guiot[6] en mars 1971, à la suite de sanctions disciplinaires prises contre des internes du lycée technique du Vau Meno[7], un mouvement lycéen entraîne la fermeture pendant un mois des lycées briochins. Quelques militants gauchistes profitent de l'embarras des responsables de l'Union nationale des comités d'action lycéens[8] devant un mouvement spontané et initialement peu populaire auprès de l'opinion locale. Prenant la tête de l'agitation et lui donnant une dimension politique, ces militants acquièrent une audience non négligeable au Vau Meno ainsi qu'aux lycées Renan et Rabelais.

Les contacts privilégiés entretenus par les responsables de l'UD-CFDT avec certains responsables cantonaux de la FDSEA — qui sont en opposition ouverte avec leur fédération nationale — et avec les dirigeants et les animateurs du CDJA constituent une seconde donnée importante. Ces contacts — traditionnels dans l'Ouest (cf. *supra*, p. 40) — sont encore renforcés, dans les Côtes-du-Nord, par la personnalité de Jean Lefaucheur[9] :

> « Il a un physique, un tempérament... Il ne donne pas facilement prise à la critique, c'est pas le technocrate ou le politicard inscrit dans je ne sais quelle école du parti qui vient imposer sa doctrine... c'est pas un instituteur... il a ce côté autodidacte, paysan, mais pas au sens péjoratif... ça fait que nous, les agriculteurs, on est assez facilement d'accord avec Jean Lefaucheur, et puis il connaît exceptionnellement

6. Gilles Guiot, élève au lycée Chaptal à Paris, avait été condamné le 10 février 1971 à six mois de prison pour avoir, ce qu'il niait, frappé un agent. L'affaire Guiot fit l'unanimité des protestations, des gauchistes aux modérés.

7. Déjà en 1968, le Vau Meno est le seul lycée sensibilisé par les événements. A un corps enseignant dans l'ensemble très politisé s'ajoute, dans cet établissement, une population lycéenne originale, composée d'internes plus âgés que la moyenne nationale dans le secondaire, d'origine modeste et suivant un enseignement professionnel technique court.

8. Adhérents ou proches du PCF.

9. J. Lefaucheur est né à Plémy, dans une zone rurale et de parents cultivateurs.

bien le problème agricole, on l'invite assez fréquemment à des réunions, à des débats. Je crois qu'au niveau des agriculteurs, il passe... il a un peu le vocabulaire que nous avons, un langage direct, c'est pas recherché, fignolé, ce ne sont pas de grandes phrases qui coulent bien ... C'est sûrement un point qui fait que... avec la CFDT, on se retrouve... à la limite, c'est peut-être dangereux parce qu'on se laisserait assez facilement aller à être d'accord, sans peut-être poser assez d'exigences. »

(Responsable CDJA, interviewé après le conflit.)

Au congrès de l'UD-CFDT précédant la grève du Joint, en décembre 1971, un intervenant va jusqu'à demander la création d'une section CFDT pour accueillir les jeunes exploitants agricoles. Enfin, la présence d'Yves Le Foll à la tête de la municipalité assure à la fédération PSU des Côtes-du-Nord une audience et des moyens qui dépassent très largement, à Saint-Brieuc, les moyens et l'audience dont dispose ce parti au niveau national [10].

A ces données structurelles s'ajoutent trois événements conjoncturels qui, bien que sans liens entre eux, contribuent tous à la décision de créer un comité de soutien.

Quelques jours avant le déclenchement de la grève, les responsables locaux de la Ligue communiste, du PSU et du PS se rencontrent pour tenter de mettre sur pied, à la suite de la mort de P. Overney, un « comité antirépression ». Ils ne parviennent pas à un accord. Le 14 mars, la Ligue communiste contacte à nouveau le PSU pour constituer cette fois-ci un comité de soutien aux travailleurs du Joint français. Réticent, craignant que l'organisation trotskyste ne cherche à retirer seule le bénéfice de l'opération, le PSU refuse en invoquant le risque de double emploi d'un tel organisme avec le comité intersyndical existant. La Ligue communiste contacte alors des militants du CDJA et de la FDSEA.

Par ailleurs, le 13 mars au soir, Maurice Clavel présente son film « Le soulèvement de la vie » à la salle des fêtes de Pabu [11]. Des enseignants de Lannion, Plessala et Guingamp y assistent, ainsi que des responsables du CDJA — dont J. Aubin, le secrétaire général — des travailleurs du Joint et Jean Lefaucheur.

« A l'issue de la soirée, quelqu'un [12] a posé le problème de la solidarité avec le Joint français et a dit : " Il serait souhaitable qu'on fasse une quête, qu'on dépose une boîte afin que chacun puisse faire un geste pour les travailleurs du Joint "... et à cette réunion participaient un certain nombre de responsables du CDJA, notamment Joseph Aubin, le secrétaire général. Alors lui, comme d'habitude il était fauché comme les blés et il a dit : " Ecoutez, je ne peux rien faire, je n'ai pas un

10. Par l'intermédiaire des militants du PSU qui en font partie, le comité de soutien pourra utiliser un certain nombre d'édifices publics — foyer de jeunes travailleurs, théâtre municipal, salle des fêtes, etc. — pour ses réunions et ses manifestations.

11. Municipalité dont le maire est membre du PSU. La municipalité de Plouisy — de tendance communiste — d'abord contactée, refuse en invoquant des raisons de sécurité.

12. Selon différents témoignages, il s'agit de J. Lefaucheur.

radis, par contre je pense que nous, les agriculteurs, on devrait être en mesure d'apporter aux travailleurs du Joint un soutien en nature, sous forme de produits ", et puis ça en est resté là, seulement il y avait là-bas un journaliste... syndiqué à la CFDT je crois... il a pas raté cet élément, il est venu voir les gars du Joint... ça a été ensuite la réaction en chaîne... les gars du Joint sont passés au bureau et nous ont dit : " Voilà... Joseph Aubin semble être d'accord, est-ce que vous envisagez quelque chose de précis ? " C'est donc parti d'un responsable, mais il ne s'agissait pas seulement de ses analyses personnelles, ça découlait d'un certain nombre d'analyses précédentes que nous avions faites ... Alors très vite on a décidé une réunion parce que... entre la déclaration de Joseph Aubin disant " on est prêt à faire quelque chose " et savoir dans les faits comment cela allait se traduire, il y avait encore un pas important à franchir. Finalement, on a eu une réunion à Saint-Brieuc, les responsables du conseil d'administration étaient d'accord, mais ils voyaient difficilement comment eux, de Plestin-les-Grèves, de Collinée, de Loudéac ou de Dinan, ils pouvaient faire quelque chose si, déjà, les gars de la région de Saint-Brieuc qui connaissaient le problème et étaient sensibilisés ne se déterminaient pas. »
(Responsable CDJA, cité plus haut.)

Dans la région de Saint-Brieuc, les responsables agricoles du canton de Trégueux se sentent directement concernés par la grève du Joint, peut-être en raison de la proximité géographique de l'usine, en raison sûrement de la personnalité de certains de ses responsables :

« Peut-être à cause du manque d'emplois, peut-être aussi parce que nous sommes touchés par l'urbanisation à Trégueux et que le caractère agricole de la commune diminue de plus en plus. Nous savons très bien que nous autres, qui avons des enfants, demain ils seront candidats sur le marché de l'emploi... et... étant donné ce qui existe sur la région... le Joint français on était au courant, au syndicat local de Trégueux, on était au courant des méthodes employées par la direction, on connaissait très bien les conditions de travail qui étaient faites aux ouvriers à l'intérieur de l'entreprise, et on entendait souvent parler de salaires de misère, nous étions au courant, bien avant que la grève ne se généralise, des mouvements de grèves tournantes dans certains ateliers... et puis vous avez vu ici comment nous sommes lotis, nous sommes entourés d'ouvriers dont certains travaillent au Joint français. »
(Responsable des exploitants agricoles du canton de Trégueux, interviewé après le conflit.)

Les responsables du syndicat local [13] des exploitants agricoles de Trégueux se réunissent et décident de contacter le CDJA, plus proche d'eux politiquement que la FDSEA, divisée entre un président modéré, R. Blejean, et un secrétaire général en opposition avec les instances nationales, J. Le Floc'h.

Enfin, un troisième événement conjoncturel joue un rôle décisif dans la constitution du comité de soutien : l'occupation de l'usine par les forces de l'ordre, le 17 mars. Ce jour-là, les responsables du CDJA et de la FDSEA convoquent leurs responsables des deux cantons de Saint-Brieuc à une réunion d'information, le samedi suivant :

13. Les syndicats locaux d'exploitants agricoles sont rattachés aux fédérations départementales, les FDSEA. Celles-ci sont affiliées à leur tour à la FNSEA au niveau national. Cf. TAVERNIER (Yves), Le syndicalisme paysan — FNSEA, CDJA, Paris, Armand Colin, 1969, p. 23-30.

CDJA   17, Boulevard Clemenceau - St-Brieuc   FDSEA

St-Brieuc, le 17 mars 1972

Circulaire N° 14-1972

Objet — Solidarité avec les ouvriers de l'usine du Joint français.

Monsieur,

Suite à la visite que nous avons reçue d'une délégation d'ouvriers de l'usine du Joint français en grève totale depuis 8 jours, demandant l'appui du syndicalisme agricole, la FDSEA et le CDJA sont unanimes pour leur apporter leur soutien.

En ce moment même, nous savons que la situation se durcit de plus en plus. En effet, cette nuit 400 CRS [14] ont occupé l'usine et expulsé les piquets de grève.

Afin de concrétiser ce soutien du syndicalisme agricole, une réunion est prévue

LE SAMEDI 18 MARS 1972 A 20 H 30
à la salle de la mairie de Trégueux

Ordre du jour

— Explication de l'état actuel de la grève par des syndicalistes ouvriers du Joint français.
— Décisions à prendre en vue d'un soutien effectif.
— Organisation à mettre en place.

Sont invités à y participer
— Les administrateurs fédéraux des cantons de St-Brieuc-Nord et St-Brieuc-Midi.
— Les présidents cantonaux de ces deux cantons.
— Les présidents communaux assistés, autant que possible, des membres de leur bureau.
— Les responsables du CDJA.

Comptant sur votre présence à cette réunion très importante, Nous vous prions d'agréer, Monsieur, l'expression de nos sentiments les meilleurs.

Pour le Président du CDJA   Pour le Président de la FDSEA
Y. Philippe   Le secrétaire général
                                  J. Le Floc'h

Le même jour, à 7 heures 45, des militants de la Ligue communiste, accompagnés de lycéens de Renan et du Vau Meno, distribuent une *Taupe rouge* aux portes de l'usine et participent au piquet de grève qui se met en place à l'extérieur :

14. Il s'agit en fait d'environ quatre-vingts gendarmes mobiles. Toutefois, en raison de l'importance du matériel mis à leur disposition et de la rotation des véhicules durant les minutes qui suivent l'occupation de l'usine, non seulement les observateurs, mais aussi certains représentants des pouvoirs publics surévaluent grandement l'importance des forces qui, le 17 mars au matin, pénètrent dans l'enceinte du Joint.

Dans la matinée, un représentant de l'UD-CFDT annonce aux grévistes rassemblés devant les grilles que « les municipalités de Saint-Brieuc et de Trégueux invitent leurs ressortissants qui travaillent au Joint à se faire connaître pour pouvoir bénéficier d'une action de solidarité ».

Enfin dans l'après-midi, un communiqué, reproduit le lendemain dans *Ouest-France* et *Le Télégramme*, annonce la création d'un comité de soutien par le PSU, le PS, la Ligue communiste, la FDSEA, le CDJA, les Amis de *Politique Hebdo*, les comités lycéens et le Foyer Paul Bert.

Si la combinaison entre ces données structurelles et ces événements conjoncturels favorables facilite la constitution d'un mouvement de solidarité, deux organisations ont l'initiative de la création d'un comité de soutien : la Ligue communiste et le PSU.

58

Dès le début de la grève illimitée, un responsable national de la Ligue communiste — qui vient de suivre le conflit Paris à Nantes — est sur place. Un autre militant de cette organisation, enseignant à Guingamp, bénéficie déjà, avant le conflit, de contacts personnels avec des responsables du PSU, de la CFDT, du CDJA, de la FDSEA ainsi qu'avec certaines personnalités religieuses comme Dom Bernard Besret, ancien prieur de l'abbaye de Boquen [15]. C'est principalement à la Ligue communiste, semble-t-il, que revient l'initiative d'un certain nombre de rencontres qui, entre le 14 et le 17 mars, réunissent les représentants des organisations présentes dans le comité de soutien.

Le PSU remplit un rôle moins direct, mais tout aussi important. L'ambiguïté de son recrutement [16] et le réseau d'influences qu'il en retire dans un certain nombre d'organisations de masse — ouvrières avec la CFDT, paysannes avec le CDJA et quelques lycéens — de même que sa présence à la municipalité expliquent que l'on retrouve sous un même appel des signatures aussi différentes que celles du PS, des Amis de *Politique Hebdo* et de la Ligue communiste.

Le 17 mars encore, un communiqué de presse du comité intersyndical de grève [17] prend implicitement ses distances par rapport au comité de soutien en affirmant sa confiance dans le comité intersyndical de solidarité :

> « Le comité intersyndical de grève du Joint français tient à faire savoir que le mouvement revendicatif engagé par les travailleurs demeure sous la seule responsabilité de l'ensemble des travailleurs de l'entreprise et des organisations syndicales : CGT et CFDT.
> Il tient à souligner que la solidarité morale et matérielle des autres travailleurs organisée par le comité intersyndical de solidarité — CGT, CFDT, FEN, FO — a toujours été efficace aux grévistes du Joint français lors de leurs mouvements revendicatifs de 1968, 1969 et 1971. ... »

« Solidarité morale et matérielle » d'une part ; « soutien financier et politique », « popularisation de la lutte » d'autre part : ce sont non seulement deux structures, mais aussi deux conceptions qui s'opposent sur la nature du soutien qu'il convient

15. Certains de ces contacts remontent aux comités d'action mis en place en 1968 et 1969, notamment dans la région de Guingamp où des enseignants, des ouvriers et des paysans avaient pu, à cette occasion, se rencontrer.
16. Après les événements de 1968, le PSU briochin est, comme l'ensemble du parti, divisé. La « notabilisation » des militants qui assurent la gestion municipale coexiste de plus en plus difficilement avec les tendances gauchistes d'un certain nombre d'enseignants et de lycéens qui — après l'agitation scolaire de 1971 — se retrouvent proches de la GR (Gauche révolutionnaire : courant maoïsant du PSU). Le conflit du Joint cristallise cette opposition. A l'issue de la grève, ces militants — dont l'ancien secrétaire fédéral — quittent le PSU, une partie d'entre eux collaborant au mensuel *Politique-Bretagne*, lancé en novembre 1972.
17. Ce communiqué, publié dans *Le Télégramme* des 18-19 mars, émane en fait des unions départementales. Il n'y a pas, pendant le conflit, constitution d'un véritable comité de grève, dans le sens habituel de cette expression. Certains groupes gauchistes reprocheront aux organisations syndicales de ne pas avoir accepté l'existence d'un comité de grève (cf. *infra*, p. 119).

d'apporter aux grévistes. C'est, plus largement, le problème de l'articulation — sur le terrain — entre lutte économique et lutte politique qui se pose aux différentes forces en présence.

LES RÉSERVES DU PARTI COMMUNISTE

Le Parti communiste est inquiet devant le durcissement de cette grève, qui intervient après l'affaire Overney — où il s'est trouvé isolé au sein de la gauche avec la CGT — et avant le référendum du 23 avril, annoncé le 16 mars par le Président Pompidou. De plus, si l'augmentation uniforme de 70 centimes demandée par les grévistes correspond aux revendications salariales non hiérarchisées mises en avant, à l'époque, par la CFDT, elle ne s'inscrit ni dans la pratique revendicative de la CGT, ni dans la politique du Parti communiste, soucieux d'élargir son audience auprès des classes moyennes et des cadres. Enfin, le PCF n'est pas implanté dans l'entreprise au moment du conflit. Mal à l'aise face à une action syndicale essentiellement animée par la CFDT [18], hostiles à la présence de la Ligue communiste dans le comité de soutien, les responsables du Parti opposent une fin de non recevoir au PSU qui leur propose, à plusieurs reprises et dès avant sa constitution, d'adhérer au comité.

Pendant les deux premières semaines de la grève, les interventions de la fédération des Côtes-du-Nord du PCF se limitent à des appels à la solidarité, ponctués de mises en garde à l'égard des tentatives de récupération politique d'un mouvement qu'elle entend maintenir dans sa dimension strictement revendicative :

Les sections de Saint-Brieuc du Parti communiste français élèvent une protestation énergique contre l'intervention policière à l'usine du Joint français où les travailleurs sont en lutte pour des revendications légitimes.

Elles appellent les travailleurs à faire preuve de la plus grande vigilance, à rejeter toutes les tentatives de substituer à leurs revendications des mots d'ordre et des formes d'action de caractère aventuriste qui risqueraient de les diviser et de les isoler dans l'opinion publique, à faire preuve de calme et de sang froid dans leur action.

Les sections de Saint-Brieuc du Parti communiste appellent leurs militants à apporter leur soutien actif aux actions de solidarité décidées par les organisations syndicales.

Communiqué de la fédération du PCF du 17 mars.

18. Les tracts émanant des grévistes et portant la signature des sections CGT et CFDT sont presque tous rédigés et tous ronéotés au siège de l'UD-CFDT jusqu'à ce que le front syndical éclate, pendant la dernière semaine du conflit.

La répartition géographique cantonale du montant des fonds [19] collectés dans les Côtes-du-Nord entre le 18 mars et le 16 avril — qui correspond à la première phase de la grève, entre l'occupation de l'usine par les forces de l'ordre et la fin de la séquestration de la direction (cf. *infra*, p. 79 et suiv.) — met en évidence deux phénomènes (cf. carte n° 1, p. 162).

D'une part, les zones qui donnent le plus en valeur absolue sont des cantons urbanisés : Dinan, Guingamp, Lannion, Saint-Brieuc. D'autre part, les zones donnant le moins — toujours en valeur absolue — correspondent à la fois aux cantons électoralement à droite et aux cantons à forte implantation communiste.

Si l'on prend, non plus la carte du montant des fonds recueillis du 18 mars au 16 avril en valeur absolue, mais celle du montant moyen des fonds versés par canton et par habitant, on observe toujours une sous-représentation des cantons où l'électorat communiste est important (cf. carte n° 3, p. 163) : Gouarec, Rostrenen, Maël-Carhaix, Callac, Plouaret, Belle-Isle-en-Terre. Guingamp, canton urbain, fait ici exception. Une explication pourrait alors être avancée : le Parti communiste étant surtout implanté dans le Sud-Ouest du département, c'est-à-dire dans sa partie la moins peuplée et économiquement la moins développée, la faiblesse de la contribution financière de ces cantons serait liée à la modicité de leur niveau de vie.

Cette hypothèse est infirmée si l'on considère maintenant, non pas les cartes du montant des fonds recueillis du 18 mars au 16 avril, mais les cartes du montant total des fonds collectés pour les grévistes, que l'on considère ce montant total en valeur absolue (cf. carte n° 2, p. 162) ou, surtout, en valeur moyenne par habitant (cf. carte n° 4, p. 163). Les zones à forte implantation communiste correspondent généralement à celles où la solidarité financière est la plus importante. Les cantons de Maël-Carhaix, Rostrenen et Saint-Nicolas-du-Pélem figurent cette fois-ci au même rang que les cantons de Lannion et Guingamp, avant ceux de Dinan et Plancoët.

La solidarité financière n'est donc pas moindre dans les zones à forte implantation communiste. Elle s'y manifeste en revanche plus tardivement, et ce décalage correspond à une phase d'attentisme du PCF devant un mouvement qu'il ne contrôle pas et dans lequel il redoute d'éventuels débordements. Ce n'est qu'à partir de la troisième semaine de grève illimitée que les responsables du Parti multiplient — directement ou indirectement — les

19. Le trésorier du comité intersyndical de solidarité, J.-R. Perennez, a tenu une comptabilité quotidienne de la solidarité financière en indiquant, pour chaque rentrée d'argent et dans la mesure du possible, son montant, la qualité professionnelle du donateur individuel ou collectif, son origine politique ou syndicale et son origine géographique. Le document final totalise 1 612 400 francs actuels, représentant près de 4 500 versements. L'aide en nature échappe malheureusement à cette quantification.

Nous remercions G. Michelat pour l'aide et les conseils nombreux qu'il nous a fournis dans le traitement informatique de ces données.

initiatives en faveur des travailleurs du Joint, en même temps qu'ils ne cessent de multiplier les mises en garde à l'égard des groupes gauchistes, réaffirmant la nécessité de conserver au conflit son caractère économique, revendicatif :

NE PAS CONFONDRE

Un certain nombre de travailleurs se posent encore des questions sur des tracts qui sont distribués dans les entreprises de Saint-Brieuc.

Leurs auteurs se disent « communistes », « marxistes-léninistes », etc. En fait il s'agit de petits groupes dits « gauchistes » et violemment anticommunistes. *La Taupe rouge* est éditée par la Ligue communiste, c'est-à-dire par les amis de M. Krivine et *Le Travailleur* par les maoïstes (dont une des nombreuses tendances est dirigée par Geismar).

Chacun de ces groupuscules a quelques adhérents dans les Côtes-du-Nord.

Ils n'ont rien de commun avec le Parti communiste français qu'ils combattent en permanence.

Maintenant, chaque fois qu'il y a une grève à Saint-Brieuc les « gauchistes » s'agitent beaucoup. Ils cherchent à apparaître comme les dirigeants de la grève. Ils se permettent de parler au nom des grévistes et même de lancer des mots d'ordre à l'ensemble des travailleurs.

L'attitude du Parti communiste français est tout autre. Les militants communistes dans les entreprises donnent bien sûr leur avis sur les décisions à prendre concernant les luttes des travailleurs. Cependant le Parti communiste considère qu'il appartient aux travailleurs de déterminer eux-mêmes, démocratiquement, leurs mots d'ordre et leurs formes de lutte, sous la responsabilité de leurs représentants syndicaux.

Le Parti communiste français soutient sans réserve les luttes revendicatives ouvrières.

Il appelle les travailleurs à faire preuve de vigilance à l'égard des éléments irresponsables dont les agissements ne peuvent que nuire à l'action unie.

L'Etincelle, bulletin de la cellule communiste de Sambre-et-Meuse, s.d. (fin mars ou début avril).

Le 24 mars, le conseil municipal de Rostrenen, dont le maire est communiste, vote une subvention de 5 000 francs en faveur des grévistes.

A partir du 27, le comité intersyndical de solidarité encaisse des sommes relativement importantes collectées par des cellules communistes de Saint-Brieuc, Plestin-les-Grèves, Rostrenen.

Le 28 mars, un communiqué des sections de Saint-Brieuc, répliquant aux attaques d'un tract du PCMLF [20], rappelle « qu'avec

20. « ... Le P« C »F est amené au Joint français à se discréditer aux yeux des travailleurs en n'affirmant pas officiellement sa solidarité aux grévistes

dévouement et modestie, les communistes se mettent, comme toujours, au service des travailleurs dans leur lutte difficile ». Un communiqué du MODEF des Côtes-du-Nord appelle les exploitants familiaux « à la solidarité active en venant en aide aux grévistes et à leurs familles par des dons en nature et en espèce ». Le 28 toujours, Edouard Quemper, conseiller général communiste et premier adjoint au maire de Saint-Brieuc, écrit à R. Pleven — président du conseil général — pour lui demander d'envisager le plus rapidement possible :

« ... une réunion extraordinaire du conseil général, afin :
— d'exprimer la solidarité de notre assemblée départementale aux travailleurs en lutte depuis plusieurs semaines pour des salaires décents ;
— de protester contre l'occupation de l'usine par la force armée ;
— d'apporter une aide financière aux familles de ces travailleurs qui connaissent de grandes difficultés. ... »

Par l'intermédiaire d'E. Quemper, le Parti communiste participe également aux initiatives de la municipalité de Saint-Brieuc : 70 618 francs au total sont distribués par le bureau d'aide sociale de la ville aux familles des grévistes, sous forme de bons d'achats et de repas gratuits dans les cantines scolaires. L'extension — au niveau local — du mouvement de solidarité explique cette évolution de l'attitude du PCF. Après l'intervention des gendarmes mobiles, les unions départementales CGT, CFDT, FO et FEN, réunies le même jour, appellent « tous les travailleurs de Saint-Brieuc et sa région à participer en masse » à un rassemblement Place Robien, le 21 mars à 17 heures 30. Cette manifestation, réunissant plus de 5 000 personnes, témoigne de la sensibilisation qui se développe autour du conflit. Le personnel ouvrier des entreprises briochines débraie massivement : à 100 % dans la métallurgie chez Chaffoteaux-et-Maury, Sambre-et-Meuse, les Forges et Laminoirs, et dans l'industrie du bois à Chalos ; à plus de 90 % dans la distribution, aux Nouvelles Galeries et chez Mafart. *Le Télégramme* et *Ouest-France* consacrent chacun plusieurs pages à l'événement. Ce n'est plus seulement l'opinion publique briochine qui est touchée par cette information, la grève prend une dimension départementale.

Dans le même temps, différentes actions du comité de soutien — particulièrement actif dès sa constitution — contribuent à accréditer le thème d'une solidarité « ouvriers, paysans, lycéens ».

au sein du comité de soutien, car dans ce comité se trouvent des gauchistes. Nous considérons, quant à nous COMMUNISTES MARXISTES-LÉNINISTES que le principe qui nous guide est juste en pareilles circonstances : *l'union de tous les travailleurs*, CLASSE OUVRIÈRE EN TÊTE guidée par un véritable Parti communiste s'impose. Nous sommes pour l'unité, mais pas n'importe quelle unité. Nous refusons l'unité qui se fait uniquement au sommet. On y oppose *l'unité à la base et dans l'action, dans la lutte contre le système capitaliste.* » Le Travailleur briochin, op. cit., diffusé sous forme de tract le 25 ou 26 mars (souligné dans le texte).

« Ouvriers, paysans, lycéens solidaires »

Très vite, le comité de soutien créé le 17 mars s'identifie à ce slogan.

Le soutien des paysans

Le 20 mars, une quarantaine d'agriculteurs ayant participé à la réunion organisée le samedi précédent à la mairie de Trégueux, responsables du CDJA et des syndicats locaux d'exploitants minoritaires dans la FDSEA [21], viennent livrer des produits de leur exploitation. Les militants qui les conduisent ne laissent rien au hasard : la livraison a lieu devant l'usine, sur le parking ; la presse locale, prévenue, est au rendez-vous.

> « Les gars avaient mauvaise conscience... ils se disaient : " Finalement, ces produits qu'on apporte, qu'est-ce que ça vaut par tête d'ouvrier en grève ? ça va vraiment pas loin... " Mais je pense que ce qui était surtout déterminant à ce moment-là, c'était de poser l'acte : apporter des produits, ça engageait beaucoup plus que d'envoyer un chèque de 100 000 francs par exemple. »
> (Responsable CDJA, déjà cité).

Dans sa réponse aux remerciements des délégués du Joint présent, le responsable du syndicat de Trégueux explicite encore davantage le contenu politique qu'il entend donner à son acte de solidarité [22] :

> « Nos cadences ne sont pas les mêmes, nos problèmes ne sont pas les mêmes, c'est vrai, mais ce qui nous importe, c'est de défendre la dignité de la personne, qu'il s'agisse d'ouvriers ou de paysans ... On a trop souvent divisé les paysans et les ouvriers. En fait vos problèmes sont les nôtres ; nous voulons qu'il y ait des emplois pour nos enfants dans la région, nous ne voulons pas que l'Ouest continue d'être une région pilote pour usines pirates. »

Spectaculaire, ce geste n'en a pas moins — dans l'immédiat — une portée réelle limitée. Les produits livrés sont en fait financés par une contribution de syndicats locaux, cette solidarité paysanne reste essentiellement celle d'une minorité militante. Cette action permet surtout aux dirigeants du CDJA de préparer une opération de plus grande envergure. Le 24 mars, le conseil d'administration du CDJA décide de prendre « les dispositions nécessaires afin que les autres agriculteurs du département prennent le relais des syndicalistes agricoles de la région de Saint-Brieuc » [23]. Le 27 mars, un nouvel apport de produits est effectué par les agriculteurs du canton de Saint-Brieuc-Midi. Il est cette fois pris en charge financièrement par les agriculteurs eux-mêmes, et non plus par

---

21. C'est-à-dire les syndicats de Trégueux, Yffiniac, Pordic, La Méaugon, Saint-Brieuc et Plédran.
22. Cf. *Le Télégramme* et *Ouest-France* du 21 mars 1972.
23. « Une solidarité effective », *Le Trait d'union* des cultivateurs des Côtes-du-Nord, 14 avril 1972.

les syndicats. Le 30 mars ce sont les agriculteurs de la région de Lannion, Tréguier, La Roche-Derrien, Perros-Guirec, Plestin-les-Grèves qui interviennent à leur tour. Dans ce secteur [24], les organisations syndicales paysannes entretiennent des contacts réguliers avec les syndicats ouvriers, principalement avec la CFDT qui est fortement implantée à Lannion. En particulier, depuis deux ans leur action concertée y maintient en place un fermier malgré une décision d'expulsion de la Cour d'appel de Rennes [25].

Cette solidarité des paysans n'est pas nouvelle en Bretagne (cf. *supra*, p. 39-41), mais c'est en revanche la première fois qu'elle se produit avec une telle ampleur dans les Côtes-du-Nord. C'est également la première fois que cette solidarité se réclame aussi explicitement des analyses politiques de la tendance « paysans-travailleurs » [26] :

... A plusieurs occasions nous avons été amenés à faire le rapprochement entre notre condition de paysan et celle d'ouvrier dans une usine. Nous sommes loin de confondre l'une et l'autre ; néanmoins, il existe une certaine similitude de situation qui fait que nous avons soutenu les grévistes du Joint français dans leurs revendications.

Cette similitude de situation, nous la retrouvons à plusieurs niveaux.

1. Au niveau de l'exploitation du travail

En analysant notre condition de jeune agriculteur, nous constatons que :

— Exploités par les firmes intégratrices (industries agroalimentaires) dont le seul but est la recherche d'un profit maximum, nous subissons une baisse de notre revenu et une détérioration de nos conditions de vie. Dépendant des trusts tels Unilever, Saviem, Perrier, il est évident que nous ne sommes pas de taille.

— Soumis à la libre concurrence, à la loi de la jungle, nous sommes exploités par les possesseurs de capitaux qui ont toute liberté de spéculer, de fausser le marché. Leurs abus, nous les ressentons surtout au niveau du foncier (surenchère, surévaluation). Le jeune agriculteur qui doit acheter de la terre sait ce qu'il lui en coûte !

— Pris dans la course effrénée à la productivité, nous sommes contraints sans cesse d'investir, de travailler plus pour faire face aux charges d'investissements car les prix à la production n'augmentent pas en conséquence. Une fois pris dans cet engrenage, il est difficile de parler du revenu du travail, car le revenu dégagé sert d'abord à rémunérer les capitaux et au réinvestissement.

Parallèlement, la situation de l'ouvrier d'usine, dans le cas présent du Joint français, au moment du conflit, pouvait se traduire ainsi.

---

24. Le président et deux vice-présidents du CDJA viennent de la région de Lannion.
25. Affaire « Ker-Jacquou ».
26. Cf. « Les paysans-travailleurs », *Frontière*, 13 et 14, janv. et fév. 1974.

Pendant que les ouvriers du Joint à Saint-Brieuc travaillaient 47 h par semaine, pour un salaire de misère (800 à 900 francs par mois) ceux du Joint français à Bezons (région parisienne) gagnaient 20 à 30 % de plus. Il est évident que la CGE profitait d'une situation de sous-développement économique de la région pour exploiter au maximum ses ouvriers et multiplier ses profits (de 1961 à 1970, ceux-ci ont été multipliés par 5).

Le combat mené par les grévistes du Joint avait donc pour but la suppression des disparités de salaire, l'amélioration de leur pouvoir d'achat et de leurs conditions de travail.

De l'analyse de ces deux situations, il découle que l'agriculteur comme l'ouvrier est exploité dans son travail, le travail fourni par l'un et par l'autre sert d'abord à la rémunération des capitaux.

C'est donc parce que nous étions conscients que le combat mené par les grévistes du Joint était de même nature que le nôtre que nous avons marqué notre solidarité.

2. *Au niveau de la répression policière*

Notre solidarité à ce niveau ne souffre pas d'ambiguïtés. Comme les ouvriers du Joint ont vu leur usine occupée par la police pour casser la grève, de même les agriculteurs se heurtent aux forces de police dès qu'ils manifestent : Redon, Quimper, et plus près, pendant la bataille du lait.

3. *Au niveau de la répression judiciaire*

De même que les délégués syndicaux du Joint français ont été traînés devant les tribunaux, de même les responsables syndicaux ont subi le même sort (Jean Carel, Gourmelon pour ne citer que les plus connus).

Qu'il s'agisse de répression policière ou judiciaire, nous constatons qu'elle agit toujours dans le même sens : contre les travailleurs, du côté des patrons. ...

En conclusion, l'élément essentiel que nous devons retenir de l'intervention du CDJA dans le conflit du Joint français, c'est que nous menons le même combat : *celui de la rémunération de notre travail*, et que c'est en créant un rapport de forces face aux détenteurs de capitaux (c'est-à-dire de ceux qui nous exploitent) que nous obtiendrons gain de cause.

CDJA, extrait du rapport moral adopté en Assemblée générale le 11 octobre 1972, à Saint-Brieuc. Doc. ronéo., p. 3-5.

L'action des militants du canton de Trégueux est décisive pour l'extension du mouvement de solidarité [27] dans un département en grande partie rural. Chronologiquement, elle n'intervient cependant qu'après les premières manifestations de solidarité lycéennes.

27. D'autant plus décisive que *Le Télégramme* et *Ouest-France* relatent longuement l'arrivée des cultivateurs en cortège, sur le parking de l'usine, citent de larges extraits des discours des responsables, et accompagnent leurs articles respectifs de photographies de la scène.

L'INTERVENTION DES LYCÉENS

La présence de lycéens aux portes de l'usine le matin même de l'évacuation des grévistes par les forces de l'ordre, et la mobilisation qui suit dans certains établissements correspondent-elles à une prise de conscience politique du milieu lycéen ? Comment expliquer la rapidité de leur intervention : initiative isolée de quelques militants gauchistes ou présensibilisation de la population scolaire ?

UN COMITÉ DE SOUTIEN LYCÉEN

— PREMIÈRES ACTIONS DE SOLIDARITÉ.

Hier 17 mars, après l'annonce de l'occupation du Joint français par les CRS, deux assemblées générales se sont tenues respectivement au Vau Meno (avec 500 élèves) et à Renan (avec 150 élèves). Les lycéens ainsi réunis ont marqué leur solidarité avec les grévistes du Joint. Ils ont d'ores et déjà organisé une collecte, de même qu'à Rabelais.

Les premières initiatives doivent se renouveler et s'amplifier dans tous les lycées et dans le reste de la ville.

— ORGANISER LA SOLIDARITÉ.

Un comité de ville regroupant de nombreuses organisations politiques s'est créé pour organiser collectes et actions de solidarité.

De même sur les lycées un COMITÉ DE SOUTIEN s'est créé et appelle à une réunion :

SAMEDI 18 MARS A 14 H, CASERNE CHARNER [28]
POUR ORGANISER LE SOUTIEN AU JOINT SUR LES LYCÉES

COMITÉ DE SOUTIEN LYCÉEN

Tract de la Ligue communiste distribué dans les lycées.

Un an auparavant — jour pour jour — l'UD-CFDT avait « estimé devoir souligner la dignité qui a caractérisé la manifestation des jeunes lycéens dans les rues de Saint-Brieuc » [29]. Partie d'un chahut contestant la discipline au lycée du Vau Meno, l'agitation lycéenne avait fait tache d'huile et s'était rapidement politisée [30] ; à l'occasion de ces événements, le mouvement lycéen local a acquis une certaine expérience politique :

28. Ancienne caserne dont une partie des locaux a été affectée par la municipalité aux organisations syndicales. L'UD-CFDT y a son siège.
29. *Le Télégramme*, 19 mars 1971.
30. Deux jours après son déclenchement, l'UNCAL s'était désolidarisée d'un mouvement « dévoyé par des éléments gauchistes pour la plupart extérieurs à l'établissement », *Le Télégramme*, 12 mars 1971.

« Les lycéens ont déjà manifesté une certaine capacité à s'organiser sur leur propre terrain, avec leurs thèmes, leurs mots d'ordre, leur type d'organisation, même si ce type d'organisation apparaît à un moment précis de la conscience de leur situation pour disparaître ensuite, comme ça a été le cas en 1971 ...
Ce qui a été assez remarquable aussi, c'est la sensibilité qui s'est assez vite manifestée, chez les lycéens, à la signification du conflit. Par exemple, dans mon lycée, les premiers contacts n'ont pas pris la forme (pendant le conflit du Joint) de rencontres ouvriers-enseignants, mais ouvriers-lycéens, au point que ces contacts ont amené la création d'un comité de soutien lycéen avant que cette forme d'organisation ne s'étende aux enseignants. »

(Militant de la FEN — tendance Ecole émancipée — interviewé après le conflit.)

L'influence de certains professeurs du technique, engagés dans des organisations gauchistes, favorise également des contacts entre jeunes travailleurs et lycéens.

En mars 1971, la Ligue communiste réussit à mettre en place des comités Rouge au lycée Renan et au Vau Meno ; le PSU et des militants maoïstes y animent des Groupes d'action lycéens (GAL).

En 1972, on retrouve dans les comités lycéens un certain nombre de militants déjà actifs l'année précédente : PSU, trotskystes et maoïstes. Parmi ces derniers, on peut distinguer au moins cinq organisations. Trois groupes apparaissent surtout symboliquement : *La Cause du peuple* compte deux ou trois sympathisants [31] ; le *Drapeau rouge* [32] envoie quelques militants de Rennes, en cours de conflit ; enfin quelques tracts du groupe *Dimitrov* [33] sont distribués à la fin de la grève. Deux autres groupes maoïstes ont un rôle limité mais non négligeable, tant en 1971 que pendant la grève du Joint : les éléments de la Gauche révolutionnaire, du PSU, et un groupe de militants du PCMLF qui semblent avoir pris leurs distances en février 1970 par rapport à *L'Humanité rouge*, pour se regrouper localement autour d'un bulletin, *Le Travailleur*.

Des contacts existent, avant le conflit, entre ouvriers, enseignants et lycéens [34] mais ils sont difficilement mesurables, et, de toute façon, très limités. La Ligue communiste en a certainement

31. Un de ses dirigeants nationaux, J.-P. Le Dantec, est originaire de la région de Guingamp et suit sur place une partie du conflit.

32. Issu d'une scission avec *L'Humanité rouge* en avril 1970, ce groupe — présent dans certains millieux étudiants rennais — publie d'abord *Rennes révolutionnaire*, puis *Drapeau rouge*.

33. D'origine parisienne, ce groupe apparaît épisodiquement à Rennes à partir de 1971.

34. Les communistes ont surestimé l'importance de ces contacts, comme en témoigne cet extrait d'une interview d'un responsable départemental du PCF réalisée après le conflit : « Parmi les jeunes qui entrent à l'usine maintenant, il y en a quelques-uns qui sont passés par les CET et qui ont subi l'influence de professeurs maoïstes ou trotskystes. Après on les retrouve dans les entreprises, et certains professeurs d'ailleurs ont quelques liaisons avec des gars qui n'existaient pas avant... avant ils n'avaient pratiquement pas de liaisons avec la classe ouvrière ».

établi avec des ouvriers du Joint au moment de la grève du boudinage ; deux ou trois militants du PCMLF travaillent dans l'usine, mais ils n'ont qu'une audience restreinte.

Si, au départ, quelques groupes gauchistes jouent un rôle d'impulsion et de coordination entre les différents établissements scolaires, la solidarité lycéenne est d'abord le résultat d'une mobilisation étrangère à toute adhésion à telle ou telle organisation.

Les clivages politiques au sein des comités de soutien lycéens n'apparaissent qu'à la rentrée des vacances de Pâques. Des militants de la Gauche révolutionnaire et des maoïstes, dénonçant les actions de « récupération » tentées, à travers le comité de soutien, par certains de ses membres [35], mettent sur pied des « comités de base » lycéens auxquels s'associent un certain nombre d'enseignants :

> ... Nous entamons là la critique des comités de soutien qui ont à la fois apporté leur contribution militante et financière pendant la grève. C'est-à-dire les comités de soutien qui regroupaient « du monde » et non de simples trésoreries. Dans ce sens, on ne peut pas dire que le comité de soutien-ville était un de ceux qui regroupaient du monde. C'était une instance bureaucratique où se retrouvaient les « pontes » du PSU, de la Ligue, de l'UDB... c'était un comité de façade.
>
> Il s'agit donc des comités de soutien lycéens qui ont eu un rôle important comme nous l'avons déjà signalé, tant sur le plan des collectes que sur le plan des mobilisations, et en particulier lycéennes.
>
> Comme son nom l'indique, le comité de soutien doit venir renforcer une grève par des initiatives prises à l'intérieur de celui-ci. Ce n'est pas au comité de soutien de diriger la lutte ni même à lui de décider seul des actions à entreprendre. Il doit exister une réelle coordination, une réelle orientation donnée par les représentants des grévistes. Dire cela paraît évident ; cependant si nous le répétons, c'est justement parce qu'il y a des gens dans les grèves qui pensent autre chose. Notamment au Joint, la Ligue a essayé de faire des comités de soutien lycéens, des comités de soutien Ligue.

Le Travailleur, op. cit.

En dehors de la collecte de fonds sur la voie publique dans le cadre de leurs comités de soutien, les lycéens constituent un renfort numérique, diversement apprécié [36], dans les rassemble-

35. Lorsque la Ligue, prenant seule l'initiative d'imprimer une carte postale de solidarité, place les autres organisations qui font partie du comité de soutien devant le fait accompli.
36. « C'est une chose d'organiser la solidarité, c'en est une autre que de prendre prétexte du conflit pour mobiliser des lycéens de Saint-Brieuc et de

ments publics et les défilés syndicaux. A cette occasion et à plusieurs reprises, les maoïstes essaient de les utiliser comme masse de manœuvre pour s'opposer aux mots d'ordre syndicaux de dispersion. L'objectif des maoïstes est d'entraîner les manifestants en direction de l'usine occupée par la police ; leur influence ne dépasse guère chaque fois quelques dizaines de personnes.

Cette solidarité de classe — dont se réclament, localement et avec des contenus divers, le comité intersyndical de solidarité et le comité de soutien — se maintient-elle avec le prolongement de la grève et l'élargissement du soutien, d'abord régionalement, puis au niveau national ?

Guingamp, encadrés de certains de leurs professeurs, pour défiler derrière des drapeaux rouges et même un drapeau du Parti communiste breton, nettement séparatiste », *Le Petit bleu des Côtes-du-Nord*, 1361, 22 avril 1972. Les grévistes, en revanche, accueillent favorablement la présence des lycéens.

LE PROLONGEMENT DU CONFLIT
ET L'ÉLARGISSEMENT DU SOUTIEN

Après l'évacuation de l'usine par les grévistes et la rupture des négociations qui s'ensuit, l'objectif immédiat des travailleurs du Joint est le maintien d'un rapport de forces qui leur est favorable, à travers le renforcement de la mobilisation et de la solidarité locales.

L'intersyndicale, le comité intersyndical de solidarité et le comité de soutien s'y emploient. Mais, sous peine de lasser des sympathisants trop sollicités, ils sont contraints d'élargir le mouvement de solidarité, à la fois sociologiquement en touchant des catégories ou des forces sociales jusque-là à l'écart, et géographiquement, en étendant le soutien au niveau départemental, puis régional. La multiplication des actions de sensibilisation menées autour du conflit et leur diversification permettent au mouvement de durer jusqu'à ce que le relais régional intervienne. Ensuite, le cap des quatre semaines de grève franchi, le conflit prend une dimension nationale en même temps qu'il devient — pour l'opinion publique — la « grève bretonne ».

Le développement des comités de soutien

L'INTERVENTION DES COMMERÇANTS ET DE L'EGLISE

Le 3 avril, des commerçants du quartier du Plateau [37] décident de verser cinquante francs chacun en nature. C'est un buraliste établi dans un grand ensemble où résident des travailleurs du Joint qui organise cette collecte :

> « Ce qui m'a décidé, c'est mon voisin. Il arrivait de Paris où il était chauffeur et lui et sa femme travaillaient au Joint. Le gars tournait en rond devant chez lui, il n'avait même pas un coin de jardin. ... j'ai tapé une lettre en trois exemplaires et je l'ai donnée à des commerçants que je connaissais déjà en disant : " Tiens, tu feras tourner ça ". La lettre demandait de donner cinq mille francs anciens chacun de marchandises, parce que les commerçants partent du principe que donner de l'argent, c'est les envoyer dans les grands magasins et c'est logique ... moi, si j'étais en grève, j'irai dans les grands magasins il n'y a pas de problème. Alors moi j'ai donné du tabac, le boucher de la viande. ... Ce qui m'a motivé, ce sont mes voisins, et puis le quartier où je travaille... je suis sûr qu'il y a 30 % des habitants des tours qui sont des ouvriers du Joint... 30 % des gens qui nous font vivre toute l'année...

37. Banlieue de Saint-Brieuc, proche du Joint.

il fallait les aider, mais sans faire de politique... la meilleure politique, c'est de ne pas en faire... l'aide sociale c'est bien, mais la politique, je ne suis pas partant. »

(Commerçant interviewé après le conflit.)

Cette solidarité matérielle directe venant de commerçants reste localisée au quartier du Plateau. Toutefois, de nombreux commerçants du centre-ville acceptent, à la demande du comité de soutien, d'exposer dans leurs points de vente des troncs sollicitant la solidarité financière de leur clientèle.

D'autre part, le CID-UNATI participe officiellement à deux des manifestations intersyndicales à Saint-Brieuc [38] et à la création d'un certain nombre de comités de soutien cantonaux, notamment à Lannion, Loudéac et Paimpol. A Ploufragan, les commerçants et les artisans prennent eux-mêmes l'initiative d'une collecte. Ce soutien de l'organisation des commerçants et artisans n'est pas nouveau à Saint-Brieuc : l'année précédente déjà, à l'occasion du conflit Sambre-et-Meuse, des militants du CID-UNATI avaient manifesté publiquement leur soutien aux grévistes [39].

L'Eglise, elle, est directement présente dans le conflit à travers la personne d'un prêtre ouvrier et de quelques militants d'Action catholique ouvrière (ACO) qui travaillent au Joint français.

Le 17 mars, des prêtres de Saint-Brieuc annoncent l'organisation de quêtes en faveur des grévistes dans certaines paroisses le dimanche suivant, mais cette décision ne concerne que quelques individualités et n'engage pas l'institution.

L'ACO et la JOC [40] se sont réunies peu de temps avant le conflit du Joint pour « réfléchir aux différents mouvements de grève qui marquaient les entreprises de Saint-Brieuc » [41]. Le 20 mars, ces deux organisations prennent position :

> Depuis plusieurs semaines, dans les entreprises de Saint-Brieuc, des travailleurs luttent pour améliorer leurs salaires et leurs conditions de travail. C'est leur dignité qu'ils défendent ; pour les jeunes, c'est leur avenir.
> Quand le monde ouvrier s'exprime et revendique, c'est au risque de répression patronale et policière. Ces grèves sont l'occasion de prise de conscience de la classe ouvrière. Des

38. Les 18 avril et 3 mai.
39. Ralliée à Jean Hourmant — ancien maire de Plouvénez-du-Faou (Finistère), poursuivi pour avoir participé à une manifestation violente à Dinan — la Collégiale des Côtes-du-Nord est en opposition avec la « ligne apolitique » de Gérard Nicoud. J. Hourmant — à l'époque président régional du comité de défense des commerçants et artisans (CDCA) — avait demandé aux adhérents des Côtes-du-Nord de s'associer au soutien aux grévistes de Sambre-et-Meuse.
40. Jeunesse ouvrière chrétienne.
41. ACO, *Réflexions sur le conflit du Joint français*, doc. ronéo., mai 1972, p. 17.

solidarités se sont exprimées dans le monde ouvrier, le monde rural et le monde étudiant.

L'Action catholique ouvrière et la Jeunesse ouvrière chrétienne de Saint-Brieuc reconnaissent dans ce combat et dans cette solidarité, la fraternité et la dignité de l'homme annoncées par Jésus-Christ. Elles se déclarent solidaires des travailleurs en lutte pour leur avenir et celui de la région.

Communiqué de presse de l'ACO et de la JOC, du 20 mars.

C'est cependant un événement extérieur qui, davantage que ces prises de position — sensibilise la masse des fidèles. Le 20 mars, un tract de l'UD-CFDT largement diffusé dans les milieux catholiques, reproduit deux photographies représentant des camions de gendarmes mobiles stationnés dans la cour de l'école d'horticulture de Saint-Ilan, proche de Saint-Brieuc. L'école est dirigée par des Pères maristes et les forces de l'ordre la réquisitionnent depuis le 17. Des responsables de la Ligue communiste s'empressent de contacter la JOC, le MRJC [42], Dom Bernard Besret et des prêtres, pour leur proposer d'organiser une marche silencieuse de protestation autour de l'école, afin de mobiliser l'opinion catholique locale. Ils se heurtent à un refus, mais un « comité Saint-Ilan » est finalement constitué le 30 mars par deux délégués CFDT du Joint, un prêtre, Dom Bernard Besret, et les responsables de l'Association culturelle de l'abbaye de Boquen. La campagne précédant sa création a en fait plus d'impact que le comité lui-même, qui a une existence plus symbolique que réelle.

Ce même jour — le 30 mars — l'évêque de Saint-Brieuc, Mgr Kerveadou, fait allusion dans son message pascal aux « vicissitudes harcelantes de notre pauvre existence » et déclare :

« Devant des événements qui engendrent des remous, des affrontements dans le domaine de la vie sociale, ainsi que des souffrances et des épreuves morales, bien lourdes parfois, nous ne pouvons pas rester indifférents ... .
Les chrétiens s'appliqueront dans la foi au Christ ressuscité à découvrir et à discerner, au sein des événements vécus, et parmi tant de gestes d'amitié et de solidarité, ce qui déjà a une résonance évangélique » [43].

Le 10 avril, les responsables MRJC des Côtes-du-Nord adressent une circulaire à leurs équipes dont ils regrettent l'absence dans le mouvement de solidarité :

42. Mouvement rural des jeunes chrétiens.
43. *Le Télégramme*, 31 mars 1972.

MRJC 22   Saint-Brieuc, le 10 avril 1972

Objet : ÉVÉNEMENT DU JOINT FRANÇAIS

A tous les membres des équipes MRJC
« Nous refusons le désespoir ! »
Nous l'avons dit au 1er mai 71 à Saint-Brieuc.
« Passons à l'action, spécialement sur les conditions de travail et dans un souci de fidélité à l'événement ».

JOINT FRANÇAIS : 5e semaine de grève...
pour soutenir des revendications de salaire et de conditions de vie dont personne ne conteste le bien-fondé.
Beaucoup de solidarité se manifeste à travers des prises de position d'organisations très diverses : confessionnelles, syndicales, politiques, ouvrières, étudiantes, agricoles...
Le MRJC des 22 n'a pas pris position ouvertement parce que aucune équipe et pratiquement aucun jeune du mouvement ne s'est manifesté. Dans ces circonstances, nous ne voyons pas au nom de qui nous aurions pris position...
Très peu de jeunes des équipes de Saint-Brieuc et des environs ont participé aux meetings de solidarité...
Quelle cohérence y a-t-il entre ce que nous disons et ce que nous faisons ?
Chanter la solidarité c'est bien
La vivre c'est mieux, mais c'est plus difficile.
Accepterons-nous de le faire concrètement ? ...

COMMENT :
— En nous informant quotidiennement et si possible le matin afin d'être au courant de ce qui peut être prévu dans la journée.
— En contactant les gens de notre « coin » qui travaillent au Joint, cela nous permettra de mieux connaître ce qu'ils vivent.
— En participant aux diverses formes d'actions en faveur des grévistes : meetings ; collectes ; caisse de solidarité (CCP J.R. PERENNEZ, 295 99, Rennes).
Nous espérons que cette lettre ne sera pas « une de plus » mais qu'elle vous aidera à vous engager effectivement :
individuellement
en équipe.

« NOTRE AVENIR SE DÉCIDE AUJOURD'HUI...
PASSONS A L'ACTION... »

Circulaire interne du MRJC du 10 avril 1972.

Assez faiblement implanté dans le département, le MRJC n'est guère influent que dans la région de Dinan, où il recrute davantage chez les travailleurs en milieu rural — travailleurs familiaux, animateurs, etc. — que chez les agriculteurs proprement dits. Très peu de jeunes exercent à la fois des responsabilités au MRJC et au CDJA. A l'origine de la coupure entre ces deux organisations, il y a — dans les années soixante — le passage d'équipes entières d'action catholique agricole au syndicalisme, et l'abandon par celles-ci de leurs responsabilités religieuses initiales. Par ailleurs, à l'exception de Dinan, les aumôniers qui encadrent le mouvement dans le département sont dans l'ensemble politiquement conservateurs et invoquent la nécessité de maintenir le MRJC « ouvert à tous » pour s'opposer à des prises de position qu'ils jugent trop politiques. Il faut attendre le 18 avril pour que le MRJC-Bretagne manifeste officiellement sa solidarité avec les grévistes du Joint français.

Le 12 avril, cinquante prêtres de Saint-Brieuc rendent publique une position qui a une grande résonance dans les milieux catholiques :

... Prêtres, partageant l'angoisse des habitants de Saint-Brieuc, nous ne pouvons accepter cette situation.

... Pour tout un ensemble de salariés, les droits essentiels à un salaire décent et à la sécurité de l'emploi ne sont plus sauvegardés. Le monde des travailleurs est humilié et souffre. La colère monte dans les esprits et dans les cœurs. La violence a pris le pas sur la négociation. L'avenir économique de notre ville de Saint-Brieuc est menacé. La décentralisation ne saurait se faire à n'importe quel prix.

Prêtres, partageant l'angoisse des habitants de Saint-Brieuc, nous ne pouvons accepter cette situation. Notre mission nous a déjà conduits à nous interroger avec d'autres chrétiens de divers milieux. Aujourd'hui, nous prenons mieux conscience de l'enjeu du conflit en cours.

Sans prétendre avoir fait le tour d'un problème aussi complexe, nous avons conscience de nous trouver en face des méfaits d'un système économique matérialiste que nous dénonçons avec force.

A peu près à la même date, des comités de soutien locaux invitent les prêtres de leur paroisse à prendre également position :

LETTRE OUVERTE AUX PRÊTRES
DE LA RÉGION DE LOUDÉAC [44]

Loudéac, le 14 avril 1972

Monsieur le curé,

S'il est vrai que le message évangélique passe par la vérité et la justice, les chrétiens doivent avoir conscience que le combat mené par les grévistes du Joint français est une lutte pour la dignité humaine.

Dans le système capitaliste, la violence sournoise qui s'exerce quotidiennement sur les plus défavorisés éclate parfois au grand jour comme au Joint français lorsque ceux-ci revendiquent simplement une amélioration de leurs conditions d'existence.

---

44. Le comité de soutien de Lannion adresse une lettre identique au recteur de cette ville.

> C'est pourquoi nous demandons aux chrétiens et au clergé local de soutenir activement ce combat pour la justice en prenant publiquement position vis-à-vis de la violence policière et en aidant matériellement les grévistes par des quêtes organisées dans les églises.
>
> Dans l'espoir d'une réponse positive de votre part,
> Nous vous prions d'agréer, Monsieur le curé, l'assurance de notre considération distinguée.
>
> LE COMITÉ DE SOUTIEN

Dans un certain nombre de paroisses du département, des appels à la solidarité sont lus pendant les offices dominicaux.

Lutte « des plus défavorisés », combat « pour la dignité des travailleurs », « solidarité » : il est normal que l'Eglise s'inscrive facilement dans un mouvement proche, à plus d'un titre, du discours évangélique [45]. Les prises de position officielles de l'Eglise sont pourtant tardives [46] et sa participation directe à l'événement reste discrète [47]. Cette réserve tient en fait à plusieurs raisons.

C'est d'abord le conservatisme d'une grande partie du clergé local, auquel s'ajoute la crainte, chez certains prêtres, qu'à un « cléricalisme de droite » encore récent ne succède un « cléricalisme de gauche » :

> ... les prêtres de la région de Lannion ont tenu à apporter les précisions suivantes :
> Nous pensons qu'il est chrétien de demander des conditions de travail qui ne soient pas déshumanisantes ; qu'il est chrétien de demander un salaire qui permette une vie digne. Nous pensons qu'une lutte pour obtenir cela est une lutte qui est juste.
> Ceci dit clairement, nous demandons qu'on nous permette à nous, prêtres, de rester à notre place. Nous n'avons pas mission de vérifier les conditions de travail dans les usines (ce qui ne veut pas dire qu'on doit les ignorer) ou de discuter avec le patron. Il y a des syndicats : le clergé n'a pas à prendre la place des syndicats.
> Il n'a pas non plus à prendre la place des chefs ou des meneurs politiques. Nous refusons toute forme de cléricalisme. Le cléricalisme a fait trop de mal dans le passé. Les prêtres n'ont pas à dicter aux gens leur comportement dans le domaine politique ou social. ...

Extrait du bulletin paroissial de l'église St-Roch, à Lannion [48].

45. « Je n'ai jamais vécu Pâques comme cette année. J'ai rencontré un peuple qui souffrait du manque de dialogue et du manque d'argent, et qui se libère en découvrant la solidarité. J'ai senti Jésus-Christ qui faisait équipe avec ce peuple, je voudrais que ce soit une résurrection complète. » Témoignage du prêtre-ouvrier du Joint, cité in ACO, *doc. cité*, p. 17.
46. A l'exception de celles de l'ACO et de la JOC, ces prises de position n'interviennent qu'après un mois de grève illimitée.
47. « Dans un meeting, un ouvrier demande à un prêtre : " Où sont tes quarante-neuf copains qui ont signé ? " » (témoignage d'un aumônier d'ACO interviewé après le conflit).
48. *Le Signe*, Bulletin de Saint-Roch, Lannion, 8, 22 avril 1972, p. 2.

Ensuite, certains catholiques — en particulier ceux qui militent dans des équipes d'ACO — craignent de se couper de la CGT en prenant trop ouvertement parti dans un conflit qui apparaît de plus en plus comme un conflit CFDT.

Enfin et surtout, les militants catholiques les plus engagés politiquement prennent une part active dans le comité de soutien-ville et dans les différents comités qui se mettent en place dans le département à partir de la troisième semaine de grève, ils sont amenés à délaisser des structures d'intervention spécifiquement religieuses, encouragés en cela par les réserves de l'Eglise officielle, mais soulignant du coup l'absence de cette dernière.

LA MULTIPLICATION DES COMITÉS DE SOUTIEN ET LA DIVERSIFICATION DE LEURS INTERVENTIONS

A l'élargissement sociologique du mouvement de solidarité, avec l'adhésion des milieux commerçants et catholiques, s'ajoute un élargissement géographique, avec la multiplication des comités de soutien locaux.

Créé le 6 avril, le comité de soutien de Lannion regroupe dès sa première réunion une centaine de responsables des syndicats ouvriers et agricoles, ainsi que des étudiants et des ouvriers ; des représentants du clergé et quelques élus municipaux y participent. Outre la « Lettre aux prêtres » reproduite plus haut, le comité adresse également une lettre ouverte aux soixante et un maires de l'arrondissement, leur demandant de prendre publiquement position sur le conflit et de voter des subventions en faveur des grévistes [49].

Le 13 avril, deux cents personnes réunies à la mairie de Loudéac décident de constituer un comité de soutien à l'appel de la CGT, de la CFDT, de la FEN, du SGEN, du CDJA, de la FDSEA, du PSU et du CID-UNATI. Un comité rassemble à Corlay la majorité des conseillers municipaux du canton, des responsables de syndicats agricoles et quelques membres du clergé [50].

Le 14 avril, deux cents personnes participent à une réunion du comité de soutien de Paimpol. Une centaine de personnes créent un comité de soutien du canton de Bourbriac ; un comité se met en place à Plémet.

En même temps qu'il se développe au niveau départemental, le phénomène des comités de soutien perd la « coloration gauchiste » qui reste celle du comité de Saint-Brieuc. Nous avons déjà noté la présence du CID-UNATI et de membres du clergé dans certains comités ; le 16 avril, le maire de Saint-Nicolas-du-Pélem, maire et conseiller général communiste et les maires du canton s'associent aux comités de soutien locaux ; à Ros-

49. Compte rendu de la réunion dans *Ouest-France*, 8-9 avril 1972.
50. Comptes rendus de ces réunions dans *Le Télégramme*, 15-16 avril 1972.

trenen, c'est même le maire communiste qui prend l'initiative de la création d'un comité.

Parallèlement à leur accroissement numérique et à l'élargissement de leur base sociale et politique, les comités de soutien multiplient et diversifient leurs interventions. Ils constituent d'abord des groupes de pression efficaces auprès des notables locaux, en exigeant de ces derniers des prises de position publiques et une aide matérielle aux grévistes. Ils popularisent ensuite le conflit à travers la présentation de spectacles variés. Le 21 mars, un gala salle Robien à Saint-Brieuc totalise six cents entrées. Les chanteurs bretons Serge Kerguiduff, Gilles Servat, Glenmor, Evgen Kirjuhel y participent bénévolement. Le 24 mars, le théâtre des Tréteaux universitaires nantais donne une représentation de *La grande enquête de François Félix Culpa*[51], d'autres représentations au profit des grévistes ont lieu au Foyer Paul Bert à la Maison des Jeunes du Plateau. Le Théâtre de la Rue — lié au mouvement occitan — joue *Mort et résurrection de M. Occitania* le 31 au Foyer Paul Bert[52]. Le 4 avril, le comité de soutien de Saint-Brieuc organise, de 18 à 24 heures, « Six heures pour le Joint ». La projection d'un film sur les luttes ouvrières chez Citroën y précède un tour de chant auquel participe le chanteur espagnol Paco Ibañez. Des galas en faveur des grévistes ont également lieu à Guingamp, Bégard et Lannion. Le 17 avril, Edouard Quemper donne le coup d'envoi d'un match de football au stade de Brézillet. Les équipes sont constituées par deux sélections briochines d'artisans, de commerçants et de fonctionnaires. Manifestations sportives et bals populaires se succèdent à l'initiative des différents comités de soutien.

Renouant avec une tradition ancienne du mouvement ouvrier, la chanson devient un support popularisant le conflit : E. Kirjuhel compose un chant avec des grévistes[53] :

Ecoutez tous, gens de Basse-Bretagne.
Les gars et les filles de Saint-Brieuc
ont cessé le travail
parce qu'ils n'étaient pas assez payés.

Les CRS les ont contrés,
envoyés par le gouvernement.
Une grande colère il y eut contre le directeur
et il fut séquestré dans son bureau.

Les paysans sont du côté des grévistes
les étudiants aussi
et même Sambre-et-Meuse, Mafard et Chaffoteaux.
« On ne travaillera pas le fusil dans le dos. »

51. Mélodrame populiste de Xavier Pommeret, sur le thème de la répression politique et syndicale.

52. Pièce populaire contemporaine écrite et jouée à l'origine par des paysans.

53. *Cinq peuples chantent leur lutte, 1972*, Programme de la soirée organisée salle de la Mutualité, à Paris, le 3 novembre 1972, par le Comité de coordination des peuples en lutte (CCPL), p. 15.

Contre le patron impitoyable,
nous marchons aux quatre coins du pays.
En avant Bretons ! en avant Bretons !

Refrain : Au Joint français, au Joint français
Les ouvriers bretons disent m... au patron

La mobilisation et le soutien prennent un contenu festif. Ce glissement est important, d'abord parce qu'il facilite l'accès à des couches de la population moins ouvertes à un discours directement politique : jeunes, ruraux isolés, etc., ensuite parce que ce renouvellement des formes de sensibilisation permet aux grévistes de maintenir intact le capital de sympathie dont ils bénéficient auprès de l'opinion locale.

Dans le même temps l'impasse dans laquelle se trouvent les négociations durcit la mobilisation strictement syndicale.

La mobilisation des structures syndicales

LES MANIFESTATIONS INTERPROFESSIONNELLES DE MASSE

Après l'évacuation des grévistes qui occupaient l'usine et le meeting intersyndical de protestation du 21 mars, les négociations sont au point mort.

Le 24 mars, le préfet des Côtes-du-Nord se propose comme médiateur entre les représentants syndicaux et la direction, mais celle-ci maintient comme préalable que les cadres et la maîtrise puissent pénétrer dans l'usine [54]. La direction du Joint semble miser sur le pourrissement du conflit, mais la présence des gendarmes mobiles dans l'entreprise s'avère être à la fois un facteur de cohésion et de durcissement des grévistes :

« Au départ, ce qui a sauvé notre mouvement, c'est que la direction a fait toutes les c... possibles et imaginables... Cette escalade, ça nous a beaucoup servi, autrement je ne sais pas si cette grève aurait tenu comme elle a tenu, parce qu'au départ... il faut bien être conscient que si ça avait été l'occupation telle qu'on l'avait prévue, à part les trente ou quarante gars qui étaient toujours volontaires pour rester sur place, qui dormaient, qui mangeaient là... je crois qu'au bout de quinze jours... trois semaines, il n'y aurait plus eu de piquet de grève, et puis alors les gens qui n'étaient pas chauds pour la grève seraient rentrés progressivement, parce qu'on avait quand même un noyau qui était contre la grève, et c'était un noyau qui était assez dangereux vu qu'il comprenait des personnes de la maîtrise, des cadres qui sont à la solde du patron comme on dit... depuis toujours... et alors ceux-là auraient travaillé pour faire rentrer le personnel qu'ils connaissaient, les gens qui étaient sur la balance... alors ces c... de patrons ont durci le mouvement... on a eu de la chance. »
(Délégué CFDT, interviewé après le conflit.)

54. Après l'intervention des forces de l'ordre, le piquet de grève se reforme à l'extérieur de l'usine, en interdisant l'accès aux cadres qui y renoncent d'ailleurs rapidement, devant le maintien dans les lieux des gendarmes mobiles.

Autant que l'importance et la soudaineté du mouvement de solidarité local, la cohésion des grévistes et l'unanimité avec laquelle se présente le front syndical [55] contribuent à retourner l'intransigeance patronale contre la direction.

Trois semaines d'attente s'écoulent, pendant lesquelles les responsables des sections et des unions départementales CGT et CFDT tiennent régulièrement des assemblées, le matin, devant les portes de l'usine. Le 28 mars, un défilé destiné à relancer une campagne d'information est décidé pour le 30. Il ne réunit que trois cents personnes, qui se rendent en cortège au siège de l'union patronale.

Le 29 mars, Y. Sabouret, maire de Saint-Cast et directeur de cabinet du ministre du Travail, annonce qu'il doit recevoir une délégation des grévistes le 31. Le jour même de l'annonce de ce rendez-vous, la Ligue communiste avance l'idée d'une « deuxième grande démonstration régionale » :

TAUPE ROUGE

Suppl. A   Mercredi 29 mars

ROUGE N° 150, dir. publ. MICHALOUX

SABOURET REÇOIT NOS DÉLÉGUÉS
CETTE GRÈVE INQUIÈTE LE POUVOIR

PRÉPARONS UNE DEUXIÈME GRANDE DÉMONSTRATION RÉGIONALE

Toute la presse de ce matin parle des 6 millions qui ont déjà été récoltés. Une autre organisation paysanne apporte son soutien, le MODEF.

Peu à peu, s'accumulent les fonds de résistance. Peu à peu, toutes les catégories de la population entrent activement à nos côtés dans la lutte.

SABOURET, directeur du cabinet de Fontanet (ministre du Travail !) reçoit nos délégués vendredi. Visiblement, l'ampleur, l'écho de notre mouvement inquiète le pouvoir. Le pouvoir sait bien qu'une grève menée dans la plus parfaite unité pendant trois semaines, soutenue par une manifestation de 6 000 travailleurs et jeunes, appuyée sur des aides qui ne peuvent que s'amplifier, peut devenir maintenant une lutte dont la presse et la radio seront obligées de parler nationalement. Les deux journées d'explication de jeudi et vendredi vont élargir l'audience de notre lutte.

PRÉPARONS UNE DEUXIÈME GRANDE DÉMONSTRATION RÉGIONALE :

A présent, nous pouvons, nous devons nous donner un objectif ambitieux, à la hauteur de l'entêtement de la direction : avec nos organisations et les travailleurs de la région, c'est un vaste avertissement de 24 heures de grève générale débouchant sur une manifestation monstre qu'il nous faut mettre à l'ordre du jour.

---

55. Les divergences entre la CGT et la CFDT, réelles dès l'entrée en grève illimitée, n'apparaissent au grand jour que vers la fin du conflit (cf. *infra*, p. 110).

FIXONS UNE ÉCHÉANCE A DONNAT ET A LA CGE ET PRÉPARONS-LA !

Par ailleurs, nos efforts pour limiter les pertes de salaire doivent continuer : chacun doit rivaliser d'initiatives ; par exemple, les boîtes de collectes chez les commerçants. Les quartiers, les bourgs et les villes avoisinantes doivent avoir notre visite. Une campagne de protestation contre l'occupation de St Ilan va aussi appuyer notre lutte.

LA SOLIDARITÉ VAINCRA !

De leur côté, le même jour, dans un tract commun, les unions départementales présentes dans le comité intersyndical de solidarité demandent, au nom de « l'unité réalisée », que l'on réponde « généreusement » à la « sollicitation » des travailleurs du Joint.

Le 31 mars, la commission exécutive de l'union régionale CFDT prévient que « si le patronat du Joint français devait maintenir son refus de négociation, la CFDT prendra ses responsabilités pour faciliter l'expression de la solidarité dans l'unité d'action à travers toute la Bretagne ». L'UR-CFDT diffuse au niveau régional, les 1er et 4 avril, deux tracts appelant à la solidarité.

Le 5 avril enfin, à quatorze heures, les négociations reprennent au siège de l'Inspection du travail, en présence des responsables syndicaux, du directeur général de la société, du directeur du personnel de l'entreprise et du directeur de l'établissement briochin. Lorsque, vers dix-huit heures, un groupe de grévistes venus aux nouvelles prend connaissance des propositions patronales [56], la tension accumulée depuis plus de trois semaines explose. Ils envahissent la salle où se déroulent les négociations et retiennent les représentants patronaux toute la nuit ; la police intervient le lendemain matin, les négociations sont à nouveau suspendues [57].

Le conflit du Joint français était en train de prendre une dimension régionale, il acquiert brusquement une ampleur nationale. L'opinion publique française « découvre » la grève du Joint français.

La presse nationale, jusque-là silencieuse sur ce conflit, s'en empare. Loin de condamner la séquestration, l'opinion publique y voit une conséquence de ce qui est jugé comme « une provocation patronale ». La CGC proteste le matin même contre cette nouvelle séquestration de cadres intervenant après l'enlèvement de M. Nogrette [58], mais l'UD-CGC des Côtes-du-Nord déplore « la position intransigeante de la direction vis-à-vis de certains niveaux

56. La délégation patronale propose une augmentation horaire de 19 centimes, au lieu des 16 proposés au début du conflit et des 70 demandés par les grévistes.
57. C'est le préfet qui, recevant la municipalité le 8, précise que « les négociations sont suspendues mais non rompues ».
58. Robert Nogrette, cadre de la Régie Renault, séquestré après l'affaire Overney.

Tableau 8. Part accordée par différents journaux à la grève du Joint *

	du 13 au 19 mars	du 20 au 26 mars	du 27 mars au 2 avril	du 3 au 9 avril	du 10 au 16 avril	du 17 au 23 avril	du 24 au 30 avril	du 1er au 7 mai	du 8 au 14 mai	du 15 au 21 mai
Le Monde	0,00	0,00	0,00	0,29	0,20	0,28	0,30	0,30	0,28	0,00
L'Humanité	0,06	0,01	0,04	0,18	0,07	0,28	0,30	0,57	0,00	0,00
L'Aurore	0,00	0,00	0,00	0,06	0,05	0,00	0,01	0,41	0,02	0,00
France-Soir	0,00	0,00	0,00	0,01	0,00	0,00	0,01	0,05	0,00	0,00
L'Express	0,00	0,00	0,00	0,00	0,00	0,00	0,76	0,00	0,67	0,00
Le Nouvel Observateur	0,00	0,00	0,00	0,00	0,00	0,83	0,00	0,00	1,20	0,00
Politique-Hebdo	0,00	0,00	0,00	0,00	4,25	0,35	2,98	0,93	9,27	0,00
Rouge	0,00	0,00	7,61	3,17	18,75	18,75	6,25	18,00	25,00	3,78
La Cause du peuple **	0,00	—	3,42	—	—	25,00	—	18,00	—	30,00
L'Humanité rouge **	0,00	3,36	0,20	—	25,0	1,97	3,63	12,50	6,25	—

* Ces chiffres représentent le *pourcentage* de la surface des informations accordées à la grève du Joint par rapport à la surface totale disponible. Pour les quotidiens, la somme hebdomadaire (6 numéros) a été retenue.

** Journaux à périodicité irrégulière.

L'Humanité, *Politique-Hebdo*, *Rouge*, *La Cause du peuple* et *L'Humanité rouge* ont des correspondants sur place dès le début du conflit.

de salaires » et intervient auprès de sa confédération pour que celle-ci renonce à porter plainte.

Après l'intervention de la police, les grévistes qui étaient présents à l'Inspection du travail se rendent aux portes de l'usine Sambre-et-Meuse. L'après-midi, un meeting presque improvisé rassemble quatre mille personnes.

Le conseil municipal de Saint-Brieuc annonce qu'il renouvelle son aide financière, celui de Plédran vote une deuxième subvention aux grévistes. Les communiqués de soutien se multiplient. C'est précisément au moment où le soutien devient unanime que des divergences syndicales commencent à apparaître :

CGT   FSM

UNION DÉPARTEMENTALE
DES SYNDICATS CONFÉDÉRÉS

Maison du Peuple
17, rue Vicairie
St-Brieuc

COMMUNIQUÉ

Tout en se félicitant de l'important succès de la manifestation de solidarité envers les travailleurs du Joint français ainsi que des nombreux arrêts de travail effectués le vendredi 7 avril, le bureau de l'union départementale CGT dénonce l'attitude de quelques éléments irresponsables qui se sont joints à cette manifestation pour tenter de dénaturer le caractère revendicatif de la lutte des grévistes du Joint français.

Il demande aux travailleurs du département de développer la campagne de solidarité financière et les met en garde contre les sollicitations et les actions aventuristes préconisées par des éléments étrangers au monde du travail.

Il rappelle que c'est aux organisations syndicales et aux travailleurs eux-mêmes de décider démocratiquement des formes d'action qu'ils considèrent les mieux adaptées aux situations diverses pour continuer d'apporter leur soutien actif et faire aboutir leurs propres revendications.

Estimant que la lutte revendicative dépend de l'unité des travailleurs et de l'appui de l'opinion publique, le bureau de l'union départementale CGT demande à tous ses militants de faire preuve de la plus grande vigilance pour ne pas tomber dans le piège de la provocation ouvertement tendue.

Saint-Brieuc, le 9 avril 1973

Communiqué de l'UD-CGT.

Communiqué de presse

LE CONSEIL DE L'UNION DÉPARTEMENTALE CFDT PREND POSITION POUR UNE JOURNÉE D'ACTION DÉPARTEMENTALE POUR SOUTENIR LES TRAVAILLEURS DU JOINT FRANÇAIS

Devant le durcissement et le prolongement du conflit du Joint français à St-Brieuc, le conseil de l'union départementale CFDT s'est réuni samedi 8 avril.

Après une analyse des causes profondes qui sont à l'origine de la lutte très dure imposée par un patronat de combat aux travailleurs de cette entreprise,

constatant l'escalade progressive de la provocation émanant tant du comportement inadmissible de cette direction que de la complicité dont elle a bénéficié de la part des pouvoirs publics,

au moment où le pouvoir ne s'avère capable que d'opposer à la lutte légitime des travailleurs la brutalité policière, alors qu'aucune mesure efficace n'est envisagée pour obliger la direction à négocier,

l'union départementale CFDT estime indispensable de mobiliser encore plus largement l'ensemble de la population laborieuse sur le plan départemental dans une journée d'action de grande ampleur.

Pour l'UD-CFDT, en effet, la grève du Joint français est significative de la prise de conscience des travailleurs d'une situation qui leur est imposée par le patronat qui ne voit dans la décentralisation industrielle que le moyen d'exploiter, le plus possible, une source de main-d'œuvre à bon marché, dont il profite largement, telle est en effet l'argumentation qu'a osé utiliser la direction du Joint français voulant ainsi justifier la suffisance des salaires dérisoires qu'elle pratique.

Il est démontré que ce combat est celui de tous les travailleurs de la région, c'est la raison pour laquelle l'union départementale CFDT préconise cette manifestation départementale pour le milieu de cette semaine.

A cet effet, elle propose aux organisations syndicales ouvrières, enseignantes et paysannes une rencontre pour aujourd'hui 10 avril, à 15 heures, au local de la CFDT — Centre Charner.

Au cours de cette réunion, l'élargissement à d'autres organisations représentatives de la population active pourra être envisagé.

Saint-Brieuc, le 9 avril 1972.

Communiqué de l'UD-CFDT.

Faut-il donner la priorité à la « vigilance » envers d'éventuelles provocations ou bien à une mobilisation « encore plus large » au niveau départemental ? Ces deux préoccupations se posent-elles en terme d'alternative ? Traduisent-elles des divergences plus profondes concernant la conception de la lutte revendicative, économique, son degré d'autonomie ou ses limites ? Deux stratégies syndicales sont en fait en présence, mais l'unité est finalement maintenue. Le principe d'une manifestation départementale avec la participation — en dehors de celles de la CGT, de la CFDT, de FO et de la FEN — du CDJA et de la FDSEA, est retenu à la suite de la rencontre provoquée par l'UD-CFDT.

Le 10 avril, une lettre envoyée individuellement aux domiciles des salariés du Joint par le président de la société renforce la détermination des organisations syndicales.

Le rassemblement prévu a lieu le 18 avril. C'est en fait une véritable mobilisation régionale qui dépasse les espérances de ses organisateurs : douze mille personnes y participent, des manifestants sont venus à Saint-Brieuc par cars entiers des départements voisins. Les communiqués de solidarité affluent, les comités de soutien se multiplient maintenant à l'échelon de la Bretagne, une vingtaine de nouvelles communes votent des subventions en faveur des grévistes [59].

Le 19 avril, l'UD-CFDT saisit l'union régionale CFDT pour élargir la lutte au niveau régional. Les négociations sont toujours au point mort, malgré des tentatives de médiation de la préfecture.

Le 24 avril, Edmond Maire donnant une conférence de presse au siège de l'UD-CFDT déclare [60] : « Nous ne sommes pas les responsables du durcissement du conflit. Mais si la menace de la fermeture [61] se concrétise, ça va réagir, et fort. On assistera à une mobilisation de toute la classe ouvrière. Je ne crois pas nécessaire d'en dire plus... »

Ce n'est que le 28 avril qu'une issue semble en vue, avec le départ d'une délégation des représentants des grévistes pour Paris où ils doivent rencontrer la direction du Joint au Ministère du travail « pour mettre au point une procédure de négociation ». Les représentants des travailleurs refusant de s'engager — préalablement à tout accord définitif — à soumettre les résultats de la négociation aux grévistes en leur demandant un vote favorable à la reprise du travail, c'est la rupture des discussions. Le 3 mai, une nouvelle manifestation réunit, à l'appel du comité intersyndical de solidarité, de la FDSEA et du CDJA, environ six mille personnes ; en fait, seule la CFDT et les organisations présentes dans le comité de soutien de Saint-Brieuc prennent une part active dans la mobilisation pour ce meeting.

LES LIMITES DE LA SOLIDARITÉ PROFESSIONNELLE

Si les structures syndicales horizontales, interprofessionnelles, contribuent efficacement au mouvement de solidarité, il n'en va pas de même des structures verticales, professionnelles.

La solidarité n'intervient que faiblement au niveau du trust de la CGE, à commencer par l'autre établissement du Joint

59. Au total, 78 communes des Côtes-du-Nord auront voté une aide aux grévistes.
60. *Le Télégramme*, 25 avril 1972.
61. Allusion à des rumeurs dont la presse se fait l'écho à partir du 15 avril.

français, à Bezons. La situation minoritaire de la CFDT par rapport à la CGT, et les réticences de cette dernière à organiser un mouvement de soutien aux grévistes de Saint-Brieuc ne contribuent pas à développer une solidarité étroite entre les travailleurs des deux usines. En dehors de tracts et de collectes réalisées à Bezons comme ailleurs, aucun ordre de grève n'est lancé par les syndicats [62], en dépit de l'insistance de la délégation briochine de la CFDT qui vient à Bezons le 18 avril :

> « Enfin la CFDT Bezons, je crois qu'elle n'a pas joué le jeu non plus pendant la grève... nous on a été à Bezons pendant les événements, on a tenu un meeting... on avait fait débrayer le personnel de Bezons, on a rencontré quand même le personnel au réfectoire, on a discuté avec eux et puis... on était un peu le pôle d'attraction, tout le monde venait nous voir, et ce qu'ils reprochaient aux syndicats, aussi bien à la CGT qu'à la CFDT, c'est de ne pas leur avoir demandé de sortir... eux ils étaient prêts pour une grève générale, et quand ils posaient la question au syndicat, on leur répondait : " Ben oui... on y pense, on verra un de ces jours "... enfin ils n'ont jamais pris position, et si la CFDT avait voulu lancer un mot d'ordre de grève, il aurait été suivi, on aurait débordé la CGT...
>
> *Question :* Vous vous êtes expliqué avec eux ?
> *Réponse :* Oui, ils sont même venus ici, en Bretagne, on a fait un week-end à Mûr-de-Bretagne où on s'est expliqué... ils n'ont pas osé quoi... ils reconnaissent maintenant qu'ils ont fait la boulette... »
>
> (Délégué CFDT, interviewé après le conflit.)

Cette interprétation de l'attitude de la section CFDT à Bezons [63] rejoint celle exprimée par le bureau fédéral du PSU du Val-d'Oise à l'occasion du second débrayage :

... La CFDT-Bezons a montré une très faible activité d'explication politique sur le « Joint-St-Brieuc ». La CGT en revanche a distribué beaucoup de papiers (tracts très bien présentés, lisibles). Plus même : la CGT a été la seule à lancer au Joint-Bezons une grève de soutien, de durée limitée il est vrai (2 h). La CFDT a refusé de se joindre à ce mouvement au demeurant assez peu suivi (100 % pour le service d'entretien, presque rien pour la fabrication) ...

Bien entendu, on ne peut nier l'aspect formel d'un arrêt de travail de deux heures, qui n'engageait guère l'avenir et permettait à la CGT-St-Brieuc de mener une campagne sur le thème : puissant soutien de la CGT-Bezons au mouvement de Saint-Brieuc. Mais le rôle de la CFDT aurait dû être alors, soit de provoquer à Bezons un mouvement plus dur et plus offensif, soit au moins de se rallier à celui de la CGT pour y développer une explication propre.

Extrait d'un rapport confidentiel du bureau fédéral du Val-d'Oise du PSU, Eaubonne, le 15 mai 1972.

62. Il y a en fait deux débrayages de deux heures : le 18 avril à l'occasion de la venue de la délégation CFDT de Saint-Brieuc, et le 3 mai à l'appel de la seule CGT, la section CFDT de Bezons désapprouvant cette forme d'action qu'elle interprète comme une manœuvre de récupération de la CGT.

63. Indiquons, pour nuancer ces deux analyses, qu'au handicap de sa situation minoritaire s'ajoute, pour la CFDT-Bezons, une main-d'œuvre immigrée peu motivée par le conflit briochin.

Pourtant, à l'échelle du trust, la CFDT-inter-CGE [64] attribue une valeur exemplaire à la grève de Saint-Brieuc et décisive pour la poursuite de l'action syndicale ultérieure au sein du groupe :

CFDT-Inter-CGE
17 avril 1972

JOINT FRANÇAIS SAINT-BRIEUC

APPEL A LA SOLIDARITÉ DE TOUTES LES SECTIONS CGE

A ce jour, plusieurs sections ont réalisé des collectes mais d'autres n'ont encore rien fait. Il est *capital* que ce conflit se termine par une victoire : en effet depuis 1968, tous les conflits dans les filiales de la CGE se sont terminés par des échecs. Ceci devient une habitude qui finira par tuer le militantisme à la CGE. A Saint-Brieuc, c'est le moment *ou jamais* de faire céder la CGE : la grève est très populaire ; les paysans, commerçants, curés, la CGT et même l'UDR se rangent de notre côté. Il faut en profiter.

Pour cela il faut :

1. Que toutes les sections qui n'ont pas encore fait de collecte la réalisent au plus vite.
2. Que celles qui en ont déjà fait, en fassent une deuxième.
3. *Le maximum de publicité :* tracts, affichage des articles de journaux, etc., en précisant que *le Joint français, c'est la CGE* (ce que 95 % des travailleurs ignorent dans les autres filiales).
4. Toutes les initiatives que les sections imagineront : télégrammes à Roux, pétitions, délégations auprès de la direction locale, débrayages si possible.

CFDT-inter-CGE, circulaire aux sections.

Entre le 30 mars et la fin de la grève, plusieurs tracts sont diffusés et des collectes organisées dans divers établissements du groupe, certaines de ces actions étant menées conjointement avec les sections CGT. Ce sont les sections CFDT de Cit-Alcatel [65] qui s'avèrent les plus combatives.

Enfin, des permanents de chaque fédération des industries chimiques — CGT et CFDT — viennent fréquemment à Saint-Brieuc pendant le conflit, pour conseiller leurs sections et leurs unions départementales respectives et participer aux négociations. De plus, la fédération CFDT de la chimie intervient dans l'orga-

---

64. Structure regroupant l'ensemble des sections syndicales du trust.
65. Cit-Alcatel constitue avec la SGE, Alsthom et les Câbles de Lyon l'une des quatre principales filiales de la CGE. La combativité des sections CFDT y est sans doute liée à l'existence au même moment d'un conflit prolongé dans un établissement de la firme, à Saint-Ouen. Les sections Cit-Alcatel adressent notamment le 11 avril une lettre ouverte au président de la CGE qui replace les problèmes posés par Saint-Brieuc dans l'ensemble des problèmes que connaissent les travailleurs du trust.

nisation de la solidarité. Le 8 avril notamment, à l'occasion de son congrès extraordinaire d'unification avec la fédération Force ouvrière, la Fédération unifiée de la chimie (FUC) réaffirme son soutien aux grévistes du Joint. La FUC relance d'autre part à plusieurs reprises ses syndicats pour qu'ils organisent des collectes.

L'unanimité bretonne

Avec l'annonce du nouvel échec des négociations entreprises au Ministère du travail le 1ᵉʳ mai, la « grève bretonne », qui a déjà une résonance nationale, occupe le premier rang de l'actualité politique.

L'UNANIMITÉ BRETONNE...

Au silence total observé pendant les trois premières semaines du conflit par *Le Petit bleu des Côtes-du-Nord* — l'hebdomadaire de R. Pleven [66] — succède, début avril, une prise de position tranchée contre la grève. Cette prise de position reprend deux arguments adoptés par les pouvoirs publics tout au long de cette période : d'une part, le conflit nuit aux efforts déployés pour le développement de l'industrialisation bretonne ; d'autre part, l'ampleur — jugée artificielle — du mouvement résulte de l'action d'éléments politisés extérieurs à l'entreprise et hostiles à la politique de décentralisation :

> ... Notre discrétion, inspirée par le souci de ne jamais risquer de gêner des possibilités d'accord, n'est pas observée par tout le monde, comme peuvent le constater les Briochins à la lecture de tracts et de journaux émanant parfois de groupuscules politiques qui semblent se délecter à l'idée que la principale usine décentralisée à St-Brieuc — le Joint français — est en grève depuis plus de trois semaines et qui peuvent faire preuve d'une intransigeance d'autant plus superbe que les auteurs de cette littérature n'appartiennent pas aux mille personnes privées de leur salaire. ...
> Nous ne pouvons que former le vœu qu'une bonne volonté réciproque et le sens des responsabilités de chacun, permette de trouver une solution qui ramène la paix à l'intérieur de cette entreprise dont les déboires sont utilisés par les adversaires de l'industrialisation bretonne.

« Le conflit du Joint français », *Le Petit bleu des Côtes-du-Nord*, 1359, 8 avril 1972, p. 1.

66. Fondateur et directeur politique du journal.

A la veille de la manifestation régionale du 18 avril, commentant les propositions écrites que la direction du Joint envoie individuellement aux salariés de l'entreprise, *Le Petit bleu* nuance cette position et condamne l'attitude adoptée par la direction « cependant sortie du mutisme dans lequel elle s'était, à notre avis, trop longtemps enfermée » [67].

Encore faut-il noter que le journal de R. Pleven reste très en deçà du ton adopté à la même date par le comité UDR de Saint-Brieuc [68] : « ... L'attitude de la direction nous paraît insoutenable, puisqu'au lieu de tout mettre en œuvre pour résoudre le conflit, il semble bien que son action n'ait contribué qu'à jeter de l'huile sur le feu. Ce ne sont pas là les conditions que nous attendons de la part de chefs d'entreprise qui se veulent les promoteurs du progrès social. »

Il faut attendre le lendemain de la manifestation du 18 avril pour que *Le Petit bleu* dénonce « le climat psychologiquement mauvais au Joint français bien avant le début de la grève (dont) la faute incombe probablement moins aux personnes qu'à une structure trop centralisée sur Paris » [69]. L'opinion bretonne est à ce point sensibilisée au conflit que même les partis et les journaux qui lui ont été le plus longtemps hostiles ne peuvent aller à contre-courant de cette unanimité favorable [70]. Paradoxalement, les mouvements autonomistes sont parmi les forces politiques qui se manifestent le moins au sein de cette unanimité.

L'ABSENCE DES MOUVEMENTS AUTONOMISTES

Ce n'est qu'à partir du 18 avril que l'on voit apparaître l'emblème breton dans les manifestations de solidarité. La première « grève nationale du peuple breton » se déroule pour l'essentiel sans les militants bretons [71]. L'Union démocratique bretonne est la seule organisation autonomiste qui participe au conflit, sans y ajouter d'ailleurs un rôle de premier plan. L'UDB n'adhère au comité de soutien que tardivement, après avoir été sollicitée à plusieurs reprises par les organisations participantes, et elle n'y occupe qu'une position effacée. Cette attitude de retrait corres-

---

67. « Que pensent les silencieux du Joint français ? », *Le Petit bleu des Côtes-du-Nord*, 1360, 15 avril 1972, p. 1.

68. *Le Télégramme*, 16 avril 1972.

69. « Au Joint français, l'intérêt de tous est d'en finir », *Le Petit bleu des Côtes-du-Nord*, 1361, 22 avril 1972, p. 1.

70. Un seul journal prend position contre les grévistes, *Brest Inter-Services*, encore s'agit-il d'un journal d'annonces commerciales et industrielles.

71. A défaut de présence sur le terrain, de nombreux mouvements consacrent dans leur presse des éditoriaux, voire des numéros entiers à la grève. L'organe de l'UDB, *Le Peuple breton*, consacre dès décembre 1971 sa première page et un éditorial à la situation du Joint français. Parmi les autres publications « autonomistes » recensées qui relatent la grève, citons : *Gwirionez : Vérité-Bretagne, Bretagne révolutionnaire, Ni, Jeunesses progressistes de Bretagne, Test, Le Témoin de l'actualité bretonne.*

pond à la faiblesse de l'implantation de l'UDB dans les Côtes-du-Nord, aux divisions internes du mouvement et au contrôle qu'exerce son exécutif sur les militants locaux. Si ces derniers se sentent rapidement impliqués par la grève, les instances dirigeantes ne paraissent pas avoir compris tout de suite l'importance du conflit :

> « Le Joint français, c'était une lutte comme les autres pour eux (les dirigeants)... des Joint français, il y en avait des dizaines en Bretagne, il n'y avait pas lieu de privilégier celui-là... enfin pour eux c'était outrancier... pour nous c'était autre chose, c'était un symbole. A partir du Joint français, c'était d'autres Joint français... »
> (Responsable de la section UDB de Saint-Brieuc, interviewé après le conflit.)

Les dirigeants de l'UDB craignent de voir l'homogénéité de leur parti à nouveau compromise par les contacts que pourraient renouer les militants de Saint-Brieuc avec les organisations gauchistes qui participent activement au soutien du conflit. En cela, l'attitude de l'UDB n'est guère éloignée de celle du PCF, accréditant la thèse d'une proximité idéologique entre l'organisation bretonne et le Parti communiste. L'entrée officielle de l'UDB correspond à la fin de la période « attentiste » du PCF face à la grève ; de plus, d'après certains militants briochins, des pressions ont été exercées sur eux par les responsables du mouvement pour qu'ils quittent le comité de soutien :

> « A l'UDB, normalement on n'a pas le droit de militer à côté d'autres organisations gauchistes, or ces organisations gauchistes on les trouve à Saint-Brieuc mais on ne les trouve pas ailleurs. Ou bien alors le clivage est net : jamais on ne voit la Ligue communiste par exemple à Brest avec le PCF, on a un comité unitaire dans lequel on ne trouve jamais la Ligue. Tandis qu'à Saint-Brieuc, c'est tout à fait différent : le PSU accepte de faire un comité avec la Ligue... alors le clivage ne se fait pas au même endroit. Si bien qu'il y a toujours la possibilité — aussi bien à Douarnenez, Concarneau que Lorient et Brest — d'avoir un comité paritaire sans que la section UDB qui s'y insère ait des problèmes avec le parti (l'UDB). A Saint-Brieuc, le contexte politique est tout à fait différent... on retrouve le PCF... enfin... isolé, qui s'isole volontairement... et on retrouve toutes les autres organisations qui acceptent de former un comité. On ne retrouve pas cet exemple là en Bretagne, ce qui explique justement nos difficultés pendant le conflit. ... Alors la frange... comment pourrait-on appeler cela... disons stalinienne si l'on veut pour faciliter les choses... va essayer de nous faire quitter le comité, justement parce qu'on trouve des gauchistes... »
> (Responsable de la section UDB de Saint-Brieuc, cité plus haut.)

Déjà peu importante numériquement, la section briochine de l'UDB éclate après le conflit. Cette absence des mouvements autonomistes, à l'exception de la présence tardive et réservée de l'UDB, tient en partie à la faible insertion de ces mouvements dans les luttes ouvrières, en partie aussi à leur faible implantation dans la région de Saint-Brieuc, située, rappelons-le, en pays gallo.

Les négociations entre la direction et les représentants syndicaux reprennent le 5 mai, cette fois-ci de nouveau à Saint-Brieuc [72], au siège de la préfecture des Côtes-du-Nord. Elles débouchent enfin, le lendemain, sur un accord, ratifié par un vote des travailleurs du Joint le 8 mai.

Les dons en argent continuent de parvenir au comité intersyndical de solidarité jusqu'au 15 juin [73]. En gagnant la sympathie de l'ensemble des milieux bretons et en trouvant parfois des appuis « contre nature » dans et hors de la Bretagne [74], les ouvriers du Joint bénéficient d'un soutien dont la signification politique est difficile à apprécier : quelle part de ce soutien relève d'une solidarité de classe, et quelle part s'apparente davantage à une manifestation d'assistance aux plus défavorisés ?

72. Les grévistes ont exprimé dès le début du conflit et à plusieurs reprises leur désir de voir les négociations se dérouler sur place, à Saint-Brieuc, traduisant ainsi un sentiment de méfiance à l'égard de la capitale et du pouvoir central, jugés responsables des conditions de la décentralisation du Joint à Saint-Brieuc.

73. Ce décalage s'explique en particulier par la lourdeur des structures syndicales mobilisées dans le soutien : collecté par les sections d'entreprises, l'argent doit ensuite remonter par les syndicats et les fédérations ou les unions départementales.

74. Cf. par exemple l'éditorial favorable aux grévistes de Jacques de Montalais dans *La Nation* du 3 mai, ou cet extrait de lettre reçue par le comité intersyndical de solidarité : « Je vous informe que le dimanche 14 mai, le Club parisien d'études et d'information a effectué, en collaboration avec les jeunes de l'UJP, une quête au profit des ouvriers grévistes du Joint français. Vous utiliserez ce chèque pour le mieux des intérêts des ouvriers mais il nous semble qu'il pourrait être utilisé plus spécialement pour permettre aux enfants et adolescents de ces travailleurs de partir en vacances, lorsque celles-ci seraient compromises ... »

CONTENU ET SIGNIFICATION OBJECTIFS
DU SOUTIEN FINANCIER

Le montant total des fonds recueillis en faveur des grévistes (Cf. *supra*, p. 61, note 19) témoigne de l'importance quantitative de la solidarité financière ; mais l'analyse des discours et des pratiques suscitant cette solidarité a mis en évidence des divergences profondes dans le contenu et les formes des sollicitations développés par les organisateurs du soutien. L'analyse de l'origine des fonds recueillis permet d'apprécier l'efficacité respective de ces sollicitations concurrentes dans la mobilisation de l'opinion. En d'autres termes, la solidarité manifestée en faveur des grévistes du Joint est-elle une solidarité dispersée géographiquement, diffuse socialement, échappant à toute caractérisation partisane ? Ou bien s'agit-il principalement d'une solidarité sélective, bretonne et ouvrière, liée à une implantation syndicale et politique précise ?

Tableau 9. La solidarité financière : ventilation géographique de l'origine politique des donateurs *

Origine politique des donateurs	Bretagne	Région parisienne	Reste France
Syndicats ouvriers	*36,9*	*43,7*	*32,3*
CGT	2,9	7,6	2,7
CFDT	22,6	6,3	6,0
Intersyndicales	9,9	28,5	22,1
Autres syndicats	1,5	1,3	1,5
Enseignement	*3,7*	*3,8*	*9,4*
FEN	3,2	3,5	8,5
SGEN	0,1	0	0,1
Autres	0,4	0,3	0,8
Syndicats agricoles	*3,0*	*0*	*0*
FNSEA	2,6	—	—
CNJA	0,1	—	—
Autres	0,3	—	—
Partis politiques	*5,0*	*3,0*	*3,0*
PC	1,7	0,1	—
PSU	2,6	2,0	—
Autres	0,7	0,9	—
Subventions municipales	*5,2*	*0,4*	*0*
Comités de soutien	*13,2*	*4,6*	*8,4*
Eglise	*3,2*	*2,6*	*3,5*
Amicales de Bretons	*2,8*	*0,2*	*0,1*
Dons individuels et non identifiés	*27,0*	*41,7*	*43,3*
Total	100	100	100

* Le résultat de chaque catégorie est établi en pourcentage par rapport au total des fonds recueillis pour chaque région.

Les bases géographiques et socio-professionnelles du soutien

L'étude des origines géographiques et socio-professionnelles des dons collectés constitue un premier élément d'appréciation du décalage ou de la concordance entre le soutien sollicité et le soutien obtenu.

SOLIDARITÉ RÉGIONALE ET SOLIDARITÉ EXTRA-BRETONNE [75]

L'importance de la solidarité bretonne dans l'appui financier apporté aux grévistes est indéniable, que l'on considère la rapidité de son intervention, ou qu'on l'apprécie globalement à travers la géographie de la répartition des dons. De ce point de vue, la grève du Joint demeure principalement une grève bretonne, même lorsqu'elle prend une dimension nationale après la manifestation du 18 avril.

Les fonds rassemblés sont d'origine presque exclusivement bretonne pendant les quatre premières semaines de grève. Après le 18 avril, un apport extérieur à la Bretagne provient essentiellement de la région parisienne, région où réside une importante colonie bretonne, par avance sensibilisée à l'actualité politique et sociale ; le reste de la France intervient encore plus tard, et dans une proportion moindre. Ces apports extérieurs ne constituent pas un relais, comme lorsque la solidarité départementale, puis régionale, relaie la solidarité briochine : les rentrées de fonds d'origine bretonne continuent en effet de croître jusqu'au 9 mai (un million de francs est collecté entre le 13 avril et le 10 mai). Mais on peut émettre l'hypothèse que cette « nationalisation » partielle du soutien contribue — ne serait-ce qu'indirectement, par l'image d'une opinion publique nationale favorable qu'elle crédite — à relancer l'effort régional.

Parmi les départements bretons, les Côtes-du-Nord viennent largement en tête — avec près de la moitié du total des fonds collectés — suivies du Finistère.

La géographie de la solidarité financière souligne l'importance de sa dimension régionale, mais elle ne permet pas d'établir sa base sociologique. Le problème reste entier de savoir si le mouvement de solidarité touche l'ensemble de la population bretonne, ou si le soutien obtenu intègre à l'intérieur de la dimension régionale des composantes sociales et politiques.

SOLIDARITÉ DE LA BRETAGNE OU SOLIDARITÉ DES TRAVAILLEURS BRETONS ?

Si le mouvement de soutien touche l'ensemble de la population bretonne, plus des deux tiers des fonds collectés le sont

75. Cf. carte n° 5, p. 164, et graphique p. 160-161.

par l'intermédiaire d'organisations de types variés — syndicats, partis, associations diverses, comités de soutien — mais témoignant toutes du caractère collectif de la réunion des fonds [76].

La solidarité ne touche pas également l'ensemble des catégories socio-professionnelles. Outre les dons individuels — souvent non identifiables de ce point de vue — trois catégories se détachent si l'on considère la ventilation des fonds selon la structure de la collecte.

Tableau 10. La solidarité financière : ventilation géographique de la structure de la collecte *

Structure de la collecte	Bretagne	Région parisienne	Reste France
Structure syndicale professionnelle	35,0	62,6	58,0
Enseignement	14,3	13,3	22,0
Administration	3,9	8,3	1,4
Total industries	13,0	33,7	30,9
— Chimie	0,7	6,6	8,3
— Métallurgie	2,4	5,8	7,4
— Autres industries	9,9	21,3	15,2
Commerce	1,4	5,7	3,6
Agriculture	1,6	1,6	0
Autres professions	0,8	0	0,1
Structures syndicales inter-professionnelles	20,6	4,4	5,1
Voie publique	25,2	7,8	13,4
Subventions	2,0	0	0
Inclassables. Non identifiés	17,2	25,2	23,5
Total	100	100	100

* Le résultat de chaque catégorie est établi en pourcentage par rapport au total des fonds recueillis pour chaque région.

D'une part, les collectes sur la voie publique représentent plus du quart du total des dons. Cette part du soutien exprime une solidarité impossible à identifier professionnellement et difficile à cerner politiquement. Son caractère « unanimiste » doit toutefois être relativisé si l'on considère que l'essentiel des fonds ainsi collectés l'a été grâce aux initiatives de militants politiques et syndicaux présents dans les comités de soutien, et connus localement pour leur engagement syndical ou partisan.

Par ailleurs, la part des enseignants et des enseignés pèse dans la répartition des fonds. On peut avancer ici l'hypothèse d'une sensibilisation latente de ce milieu à l'égard des conflits sociaux, due au malaise engendré par une prolétarisation continue

76. Cf. tableau 9.

du corps enseignant, particulièrement ressentie dans le primaire. Cette sensibilisation à des grèves perçues comme « exemplaires » est sans doute encore avivée par le climat conflictuel de l'enseignement depuis 1968 [77].

Enfin, le soutien « interprofessionnel » représente la catégorie la plus importante. Lorsque l'on observe par ailleurs la part essentielle prise par les syndicats ouvriers dans l'organisation de la collecte [78], il est clair que la prédominance du soutien interprofessionnel en Bretagne résulte du rôle de premier plan joué par les structures syndicales géographiques au détriment des structures syndicales professionnelles [79]. De plus, la ventilation du soutien interprofessionnel par branches d'activité correspond aux caractéristiques de l'industrialisation bretonne. L'apport de la métallurgie se révèle de loin plus important que celui de la chimie à laquelle appartient pourtant le Joint français. Cette disproportion dans le soutien de ces deux branches s'explique par leur inégale représentation dans l'industrie régionale. La situation prépondérante de la métallurgie briochine [80], renforcée, au niveau départemental, par le poids de l'industrie électronique à Lannion et Guingamp, s'accuse encore au niveau régional avec l'importance des chantiers navals et des arsenaux ; la tradition ouvrière de ces derniers explique l'importance de leur contribution [81].

La solidarité du monde du travail s'apprécie donc d'abord en fonction de la physionomie locale et régionale des structures industrielles. La sensibilisation des travailleurs est d'autant plus forte et plus rapide qu'elle se double d'un sentiment d'appartenance à la communauté bretonne et que la proximité géographique du conflit rend plus perceptible l'enjeu du combat que mènent les grévistes du Joint.

LES CARACTÉRISTIQUES DE LA SOLIDARITÉ EXTRA-BRETONNE

Privé de sa dimension régionale, le soutien aux grévistes du Joint français se manifeste plus tardivement dans la région parisienne comme dans le reste de la France. Il s'organise d'abord sur

77. Cette sensibilisation est encore renforcée à Saint-Brieuc, depuis l'agitation lycéenne de 1971, cf. *supra*, p. 54.

78. Cf. tableau 9, p. 92.

79. Unions interprofessionnelles de bases, unions locales, unions départementales et unions régionales pour les structures géographiques, syndicats et fédérations pour les structures professionnelles.

80. Sambre-et-Meuse, Chaffoteaux-et-Maury, Forges et Laminoirs de Bretagne, Le Jonguet, Savemat.

81. Le syndicat CFDT des ouvriers de l'Arsenal de Brest est particulièrement actif et réunit, au cours de plusieurs collectes, environ 60 000 francs de dons. Dans l'analyse de la structure professionnelle de la collecte, nous avons retenu le critère d'activité industrielle et non le critère de regroupement syndical qui nous aurait conduits à isoler les arsenaux dans une catégorie « défense nationale ».

la base d'une solidarité professionnelle industrielle dans laquelle le soutien de la chimie occupe une place plus large que dans le cadre breton (cf. *supra*, p. 87). En dehors de la région parisienne, dans les départements pour lesquels on ne peut évoquer la proximité géographique du conflit, la solidarité est principalement liée à la présence de complexes industriels chimiques et à une implantation satisfaisante de la CFDT : dans la Seine-Maritime avec Grand-Couronne, le Puy-de-Dôme avec Clermont-Ferrand, le Rhône avec Saint-Fons, Feyzin, Pierre-Bénite, Vaise, et en Gironde.

Le soutien s'organise ensuite sur une base plus largement individuelle qui résulte de l'impact sur l'opinion publique nationale de l'information diffusée par la presse (cf. *supra*, p. 82) et de la faiblesse des structures de collecte sur la voie publique [82].

L'enseignement enfin joue un rôle aussi important au niveau national que dans le seul cadre breton. A la sensibilisation naturelle de ce milieu aux conflits sociaux — dont nous exposons plus haut les raisons — s'ajoute son fort taux de syndicalisation. Les syndicats de l'enseignement jouent un rôle décisif dans la mobilisation du corps enseignant.

Il convient donc, en dépit de l'importance des dons individuels, de ne pas surestimer « l'unanimisme » de la solidarité nationale. Cette solidarité demeure, encore plus qu'en Bretagne, dépendante de la capacité de mobilisation des organisations syndicales et politiques qui soutiennent la grève.

Les bases syndicales et politiques de la solidarité, le rôle des comités de soutien

UNE SOLIDARITÉ CÉDÉTISTE

La ventilation de l'ensemble des dons selon l'origine syndicale et politique des donateurs (cf. tableaux 11 et 12) met en évidence le rôle fondamental des structures syndicales et — dans une moindre mesure — celui des structures « ouvertes » constituées par les comités de soutien. Elle souligne en revanche la faible contribution des partis politiques (4,5 % de la somme totale).

---

82. A l'exception de la région parisienne, la constitution de comités de soutien aux grévistes du Joint français ne dépasse guère le cadre de la Bretagne.

Tableaux 11 et 12. Périodisation chronologique des fonds collectés ventilée par l'origine du donateur *

Origine des fonds collectés	Périodisation chronologique				
	Du 18 mars au 16 avril	Du 17 au 21 avril	Du 22 avril au 16 mai	17 mai et au-delà	Total
Syndicats :					
Total syndicats ouvriers	3,57	3,03	27,02	4,23	
dont : CGT	0,54	0,09	2,17	1,01	3,81
CFDT	2,85	1,45	12,94	1,17	18,41
Intersyndicale	0,60	1,36	10,80	1,96	
Autres et sans précision	0,12	0,13	1,11	0,09	1,45
Syndicats de l'enseignement ..	0,27	0,31	2,72	0,88	4,18
Syndicats agricoles	0,01	0,12	0,47	0,00	0,60
Partis politiques :					
PC	0,51	0,03	0,68	0,02	1,24
PSU	0,18	0,01	0,73	1,39	2,31
Autres	0,06	0,09	0,56	0,13	0,84
Comités de soutien	1,33	1,51	8,90	1,56	13,30
Eglise	0,36	0,16	2,47	0,16	3,15
Mouvements laïcs	0,06	0,04	0,31	0,00	0,45
Subventions	0,01	0,07	1,63	1,72	3,43
Inclassables. Non identifiés	3,25	3,37	21,75	4,32	32,67
	9,61	8,74	67,24	14,41	100
Syndicats :					
Total syndicats ouvriers	37,45	34,77	40,22	29,24	
dont : CGT	5,66	1,06	3,23	6,99	
CFDT	29,91	16,62	19,26	8,07	
Intersyndicale [1]	0,67	15,62	16,08	13,54	
Autres et sans précision	1,21	1,77	1,65	0,64	
Syndicats de l'enseignement ..	2,81	3,55	4,06	6,15	
Syndicats agricoles	0,03	1,32	0,70	0,00	
Partis politiques :					
PC	4,26	0,36	1,01	0,15	
PSU	1,90	0,10	1,08	9,62	
Autres	0,66	1,31	0,82	0,90	
Comités de soutien	14,26	17,09	13,10	10,80	
Eglise	3,81	1,86	3,68	1,20	
Mouvements laïcs	0,64	0,44	0,45	0,32	
Subventions	0,08	0,81	2,43	11,90	
Inclassables. Non identifiés	34,10	38,39	32,45	29,72	
	100,00	100,00	100,00	100,00	

* Résultats en pourcentage par rapport à l'ensemble des fonds recueillis dans le premier tableau, par rapport au total des fonds recueillis pour chaque période dans le second.
1. La catégorie *Intersyndicale* ne regroupe que les intersyndicales comprenant au moins la CGT et la CFDT, les autres étant classées à *Autres et sans précision*.

Tableaux 13 et 14. Périodisation chronologique des fonds collectés ventilée par la structure de la collecte *

Structure de la collecte	Du 18 mars au 16 avril	Du 17 au 21 avril	Du 22 avril au 16 mai	17 mai et au-delà	Total
Enseignement	1,08	2,12	9,50	1,92	14,62
Administration	0,16	0,18	3,46	0,72	4,52
Total industries	1,97	2,27	11,35	2,68	18,27
dont chimie	0,06	0,08	1,82	0,30	
métallurgie	0,57	0,13	2,50	0,20	
Commerce	0,16	0,15	1,32	0,70	2,33
Agriculture	0,09	0,14	1,13	0,01	1,37
Autres professions	0,01	0,01	0,56	0,01	0,59
Structures syndicales inter-professionnelles diverses	1,48	1,44	10,83	2,65	16,40
Voie publique	1,17	1,71	16,26	1,99	21,13
Subventions	0,00	0,05	1,37	0,00	1,42
Inclassables. Non identifiés	3,49	0,77	11,36	3,73	19,35
	9,61	8,84	67,14	14,41	100

Structure de la collecte	Du 18 mars au 16 avril	Du 17 au 21 avril	Du 22 avril au 16 mai	17 mai et au-delà
Enseignement	11,17	24,42	14,13	13,27
Administration	1,64	2,06	5,15	4,97
Total industries	20,42	26,04	16,93	18,53
dont chimie	0,64	0,89	2,70	2,06
métallurgie	5,92	1,50	3,72	1,30
Commerce	1,64	1,88	1,96	4,81
Agriculture	1,10	1,65	1,68	0,08
Autres professions	0,36	0,00	0,84	0,00
Structures syndicales inter-professionnelles diverses	15,32	17,03	18,15	18,36
Voie publique	12,17	19,49	24,20	13,79
Inclassables. Non identifiés	36,18	7,43	16,96	26,19
	100,00	100,00	100,00	100,00

* Résultats en pourcentage par rapport à l'ensemble des fonds recueillis dans le premier tableau, par rapport au total des fonds recueillis pour chaque période dans le second.

Le succès des collectes organisées par les syndicats (42,6 % des fonds) montre que la grève du Joint français ne remet pas en cause le rôle déterminant joué par ces organisations de masse dans les conflits sociaux. L'action des syndicats ouvriers est essentielle au regard, non seulement du montant total des fonds recueillis, mais aussi de la rapidité de l'intervention et de la continuité de l'effort. Quelle que soit la période considérée (cf. tableau 12), et qu'il s'agisse de la Bretagne, de la région parisienne ou du reste de la France (cf. tableau 9), le soutien des organisations syndicales ouvrières domine celui de toutes les catégories. Parmi les organisations ouvrières, la CFDT réunit globalement à elle seule un montant égal à celui des sommes rassemblées à la fois par la CGT et les intersyndicales [83]. En dehors de la Bretagne, le poids des intersyndicales d'entreprises regroupant au moins des sections CGT et CFDT augmente et représente l'essentiel des fonds collectés.

Au soutien des organisations syndicales s'ajoute celui des comités de soutien qui totalisent 13,06 % du total des fonds collectés. Les comités de soutien ont, essentiellement en Bretagne, une fonction novatrice, à mi-chemin entre l'engagement partisan — en raison du recrutement de leurs animateurs, généralement des militants politiques — et l'organisation unanimiste d'une solidarité exclusivement financière. Bien qu'ils jouent en Bretagne un rôle important, les comités de soutien n'entrent pas en concurrence avec les structures syndicales et politiques traditionnelles. Loin de se juxtaposer à l'action de ces dernières, celle des comités de soutien la complète souvent, en permettant l'extension de la solidarité dans des zones géographiques ou dans des milieux idéologiquement hostiles à une intervention des syndicats ou des partis de gauche. C'est ce que montre une analyse de la solidarité dans les Côtes-du-Nord, comparant l'implantation partisane de la gauche et celle des comités de soutien les plus actifs.

STRUCTURES PARTISANES ET STRUCTURES « OUVERTES »

Si les partis politiques n'interviennent que faiblement, de manière directe et officielle, dans l'organisation de la collecte [84], leur implantation politique antérieure contribue sans nul doute, dans les Côtes-du-Nord, à la sensibilisation de l'opinion à la grève. La carte de la solidarité financière dans le département (cf. carte n° 3, p. 163) met en évidence une relation entre le soutien financier et la géographie de la gauche. Les zones de force de la solidarité recouvrent l'essentiel de la Bretagne bretonnante et s'étendent en pays gallo dans la région briochine et la partie côtière de la région de Dinan. De même, sans qu'on puisse parler d'exacte juxtaposition, il existe une relation entre le niveau de la solidarité financière et la localisation des comités de soutien (cf. carte n° 7, p. 165).

Cette relation entre un contexte politique de gauche et une forte solidarité financière limite singulièrement l'ampleur du

83. Dans lesquelles la CFDT, également présente, prend souvent l'initiative des collectes.
84. Rappelons que ce rôle effacé des partis de gauche tient en partie au fait que, la plupart de leurs militants ayant des responsabilités syndicales, ils choisissent généralement de soutenir le conflit au sein des organisations de masse que constituent les syndicats, ou au sein des comités de soutien.

spontanéisme que certains ont bien voulu reconnaître dans le soutien apporté aux grévistes du Joint. Les rôles respectifs des partis de gauche et des syndicats d'une part, des comités de soutien d'autre part, s'avèrent à l'analyse plus complémentaires que concurrents. C'est ce qu'indique une typologie de la solidarité dans les Côtes-du-Nord, établie à partir de la combinaison de trois variables. Les deux premières variables rendent compte de l'implantation de la gauche — communiste et non communiste — dans le département. Cette implantation est évaluée au niveau communal, à partir des résultats du premier tour des élections présidentielles de 1969. Cette consultation présente un double avantage : elle est la plus proche, dans le temps, du conflit [85] ; en raison du caractère national des candidatures, elle permet la comparaison dans l'espace des différentes tendances de la gauche [86].

Le PCF est considéré comme faiblement implanté (Fa) lorsqu'il n'atteint pas 15 % des suffrages exprimés, moyennement implanté (Mo) lorsqu'il se situe entre 15 et 29 % des exprimés, fortement (Fo) au-delà de 30 % des exprimés.

La gauche non communiste [87] est considérée comme faible (Fa) quand elle n'atteint pas 4 % des exprimés, moyenne (Mo) quand elle est comprise entre 4 et 6 % des exprimés, forte (Fo) quand elle dépasse ce seuil.

La troisième variable retenue pour la typologie est l'existence (+) ou l'absence (—) de comité de soutien dans la commune considérée.

La combinaison de ces trois variables offre 18 possibilités de caractérisation théorique de l'environnement politique pendant la grève du Joint.

Des trois variables considérées, deux paraissent avoir joué un rôle essentiel dans le développement de la solidarité : le degré d'implantation du PCF et la présence ou l'absence de comité de soutien.

Si l'on s'en tient au seul degré d'implantation du PCF, on constate que le niveau de solidarité croît proportionnellement à l'assise locale de ce parti [88].

Lorsque le Parti communiste est peu implanté, la présence ou

85. Si l'on excepte les élections municipales de mars 1971 qui se prêtent mal, dans un milieu essentiellement rural, à une appréciation d'implantation partisane, en raison notamment du mode de scrutin uninominal en vigueur dans les communes de moins de 30 000 habitants.
86. Elle présente en revanche un inconvénient : l'électorat socialiste déborde largement, dans le département comme dans le reste de la France, celui de G. Defferre. Le cumul des voix obtenues par G. Defferre, A. Krivine et M. Rocard ne rend pas compte de manière satisfaisante de l'importance de la gauche non communiste dans le département. Toutefois, les variations en amplitude du cumul des voix de ces trois candidats d'une commune à l'autre permettent d'apprécier l'inégalité d'implantation de la gauche non communiste au niveau départemental.
87. Définie par les électorats de G. Defferre, A. Krivine et M. Rocard.
88. Si la corrélation devient moins nette dans le cas où le PCF est très fort, il semble que cela soit surtout dû au faible nombre de communes où le PCF est suffisamment bien implanté pour appartenir à cette catégorie.

Tableau 15. Ventilation des dons dans les communes des Côtes-du-Nord, en fonction de l'implantation de la gauche et des comités de soutien

Niveau PCF	Faible (13,09 %) (a)						Moyen (80,50 %)						Fort (5,38 %)					
Niveau gauche non communiste	Fa (8,25)		Mo (4,49)		Fo (0,35)		Fa (10,64)		Mo (68,84)		Fo (1,02)		Fa (3,70)		Mo (1,68)		Fo (0)	
Comité de soutien	–	+	–	+	–	+	–	+	–	+	–	+	–	+	–	+	–	+
Identification des types	1	2	3	4	5	6	7	8	9	10	11	12	13	14	15	16	17	18
Effectifs exprimés en % de la somme totale	1,99	6,26	0,94	3,55	0,35	0	6,70	3,94	5,64	63,20 (b)	0,71	0,31	1,54	2,16	1,68	0	0	0

(a) Pourcentages des effectifs de chaque classe par rapport au montant total des dons ; les inclassables représentent 1,03 % du montant des dons.

(b) Le poids de ce type est dû à la part déterminante de la ville de Saint-Brieuc.

l'absence d'un comité de soutien conditionne l'importance ou la faiblesse des fonds collectés. La répartition géographique des comités de soutien mise en relation avec l'étiquette politique des municipalités [89] montre que, sur 21 comités recensés, 9 seulement sont implantés dans des communes dirigées par la gauche [90], les autres se répartissant dans un contexte conservateur (cf. carte n° 7, p. 165). Dans les communes résistant à la pénétration des partis de gauche, le caractère informel, non directement partisan des comités, permet de susciter une solidarité moins engagée, plus proche de l'assistance aux plus défavorisés que d'un appui aux luttes sociales [91]. En revanche, lorsque le Parti communiste est suffisamment implanté localement, la présence d'un comité de soutien ajoute peu au montant des dons. Dans un tel contexte politique, on peut faire l'hypothèse que la prédisposition favorable au conflit d'une opinion de gauche rend inutiles les éventuelles médiations idéologiques que permet un comité de soutien non identifié à une option partisane.

Mise en évidence par cette typologie, la fonction de médiation des comités de soutien se confirme si l'on compare l'origine des dons collectifs au regard de l'implantation partisane dans les communes des Côtes-du-Nord :

Tableau 16. Ventilation des dons selon l'origine des donateurs croisée par l'implantation politique de la gauche dans les Côtes-du-Nord *

	PCF			Gauche non communiste		
	Faible	Moyen	Fort	Faible	Moyen	Fort
Syndicats	13,4	45,3	43,2	21,5	47,5	3,1
Partis politiques	1,6	8,5	3,7	2,5	8,9	0,2
Comités de soutien	18,9	11,5	5,4	19,5	10,2	0,0
Eglise	7,6	1,6	0,8	4,6	1,6	0,0
Subventions communales	0,1	2,3	8,9	5,5	1,4	8,5
Inclassables	58,4	30,8	38,0	46,4	30,4	88,2
Total	100	100	100	100	100	100

* Pourcentage calculé par rapport à la somme totale des dons collectés dans le département.

89. Cette étiquette ne peut être appréhendée qu'au niveau très élémentaire de l'appartenance partisane du maire. La taille des communes — Saint-Brieuc excepté — ne permet pas d'évaluer avec plus de précision le dosage politique des conseils municipaux en raison du mode de scrutin en vigueur dans ce type de commune.

90. Sur ces 9 communes, 4 sont dirigées par un maire appartenant au PCF et 5 par des maires appartenant à des partis de la gauche non communiste.

91. Le niveau élevé de solidarité atteint par le canton de Loudéac relève de ce type de situation. Dans ce canton conservateur qui accorde, en 1968, 46,5 % des suffrages par rapport aux inscrits à la candidate UDR, M.-M. Dienesch, la mise en place d'un comité de soutien joue un rôle moteur dans le développement de la solidarité matérielle. Mais cette sensibilisation autour du comité de soutien est favorisée par la présence de travailleurs de l'entreprise Olida où a lieu l'année précédente un conflit dur, interrompu par le départ des ouvriers en congé annuel.

Alors que les collectes d'origine syndicale correspondent à un contexte partisan de gauche, la part du montant des dons recueillis par les comités de soutien décroît régulièrement avec l'amélioration de l'implantation du PCF et de la gauche non communiste. L'Eglise remplit un rôle semblable puisque le montant des fonds qu'elle collecte est d'autant plus élevé que le contexte politique est défavorable à la gauche. Au-dessous d'un certain seuil de politisation à gauche, lorsque la contrainte idéologique ne s'exerce plus dans un sens favorable à la lutte des grévistes, les comités de soutien et — dans une mesure moindre et complémentaire — l'Eglise remplissent une fonction de substitution par rapport aux structures syndicales et partisanes traditionnelles.

Ce phénomène des comités de soutien, déjà présent dans un certain nombre d'autres conflits, est remarquable dans le cas du Joint français par l'ampleur qu'il atteint. Leur composition informelle, surtout dans les cantons ruraux, permet une diversité qui facilite leur adaptation à l'environnement. Leur dimension politique et syndicale, présente à travers les militants qui les animent, apparaît moins immédiatement que dans le cadre des organisations ouvrières traditionnelles. Plus ouverts à l'hétérogénéité des motivations des donateurs, ils gagnent en efficacité matérielle ce qu'ils perdent en clarté idéologique. Ils sensibilisent des couches de la population jusque-là à l'écart des luttes sociales, au prix d'une ambiguïté politique accrue. Cette ambiguïté marque en même temps leurs limites par rapport aux structures syndicales et aux partis politiques.

L'analyse du contenu de la solidarité financière confirme l'hypothèse selon laquelle plusieurs types de solidarité se manifestent, dans le temps comme dans l'espace, en faveur des grévistes du Joint français.

Plus complémentaire que concurrente, l'évolution de leurs poids respectifs dans le mouvement de soutien est directement liée à l'évolution de la grève elle-même. Tant que le conflit demeure celui des travailleurs briochins, les forces locales qui animent le mouvement de soutien sollicitent — et obtiennent dans une large mesure — une solidarité bretonne et ouvrière. Les données politiques et sociales du contexte local s'imposent alors aux pratiques politiques et syndicales en présence, quitte à mettre ces pratiques en porte-à-faux par rapport aux stratégies nationales qui les sous-tendent.

Mais, au fur et à mesure que le conflit et le mouvement de soutien qui l'accompagne prennent une dimension nationale, les données du contexte local s'effacent devant celles des stratégies nationales.

CHAPITRE III

Lutte économique et lutte politique
Les stratégies en présence
Essai de bilan

Nous avons jusqu'ici procédé à une lecture descriptive des pratiques des acteurs présents dans l'organisation de la grève et du mouvement de soutien. Les pratiques ne peuvent être comprises qu'au regard des stratégies auxquelles — implicitement ou explicitement — les militants se réfèrent. L'analyse de ces stratégies permet d'enrichir la lecture empirique de l'événement en confrontant les modèles d'articulation entre lutte économique et lutte politique. Cette analyse reste toutefois insuffisante. Ces modèles constituent des discours idéologiques dont la faculté de rendre compte du réel est sanctionnée en dernier ressort par les résultats obtenus sur le terrain.

LES STRATÉGIES SYNDICALES ET POLITIQUES EN PRÉSENCE

Les divergences apparues à propos des formes de solidarité et concrétisées par la dualité des structures de soutien se prolongent, par des débats et des affrontements, d'abord entre la CGT et la CFDT, ensuite au niveau des forces politiques présentes à Saint-Brieuc et directement ou indirectement impliquées dans le conflit.

Le débat au niveau des organisations syndicales

Derrière l'unité d'action maintenue presque tout au long de la grève entre les sections CGT et CFDT du Joint français, des désaccords profonds concernant les formes d'action et la dimension politique du conflit opposent la CGT et la CFDT. Cette opposition est encore renforcée par la personnalité même des secrétaires départementaux de ces deux organisations.

« RADICALISATION » DU CONFLIT OU RECHERCHE D'UN COMPROMIS IMMÉDIAT ?

Dès le déclenchement de la grève, deux appréciations syndicales du rapport des forces en présence et deux types de leadership s'affrontent.

Le secrétaire de l'union départementale CGT, fonctionnaire d'appareil plutôt qu'homme d'action, semble avoir sous-évalué le degré de mécontentement qui existe dans l'entreprise à la veille du conflit [1] :

> « Lorsque nous sommes arrivés, les portes de l'entreprise étaient bouclées, cadenassées, et avec des mots d'ordre injurieux qui figuraient... je ne sais pas si vous les avez vus... dès le début. On a demandé à la CFDT de bien vouloir demander à ses militants d'enlever les mots d'ordre qui n'avaient aucun caractère revendicatif... ça été difficile mais enfin...
> — Qu'est-ce qu'il y avait comme mots d'ordre ?
> — Oh ! Eh bien il était question de " pouvoir au travailleurs ", " le patron à la potence ", enfin des mots d'ordre de ce genre-là. Alors à ce moment-là, évidemment on ne pouvait pas prendre la parole pour approuver l'occupation de l'usine. C'était en définitive aller un petit peu à l'encontre de notre conception de la lutte, de notre conception de la grève, et nous avons été un peu surpris quand nous avons vu que l'usine était cadenassée et qu'on empêchait le directeur d'y entrer. »
> (Secrétaire de l'UD-CGT, interviewé après le conflit).

Décidée par une minorité (cf. *supra*, p. 29-30), l'occupation de l'usine recueille après l'intervention des forces de l'ordre l'adhésion de la quasi-totalité du personnel. Ce consensus témoigne du degré d'exaspération des grévistes devant le durcissement patronal. Comment expliquer, dans ces conditions, l'attitude du secrétaire de l'UD-CGT ? Il faut, pour comprendre cette attitude, la relier aux positions confédérales adoptées après la grève du métro d'octobre 1971 (cf. *supra*, note 12, p. 11). Dès la fin de l'année 1971, la CGT — définissant les bases d'un « syndicalisme responsable et efficace » [2] — constate un mécontentement social « toujours plus vif » sans perspective concrète, et souligne les risques d'une telle situation :

---

1. Y compris dans les rangs de la CGT du Joint. Cf. l'interview d'une déléguée CGT citée p. 31.
2. « Comment lutter aujourd'hui ? Document d'analyse et d'orientation de la commission exécutive de la CGT destiné à la préparation du XXXVIIIe congrès confédéral », *La Vie ouvrière*, 1417, 27 oct. 1971, reproduit en brochure sous le titre *Pour un syndicalisme responsable et efficace*.

C'est une situation complexe, malsaine et dangereuse que l'action syndicale ne peut ignorer, une situation propice à la confusion, à l'impatience, à la pénétration de toutes les utopies, à des explosions de colère et des actions irréfléchies.

L'expérience des derniers conflits sociaux doit donner à réfléchir à tout le mouvement syndical. En juillet déjà, la commission exécutive de la CGT en avait tiré d'importants enseignements ... . L'issue du récent conflit du métro doit inciter tous les militants de la CGT à réfléchir sérieusement à ces enseignements.

Nous retrouvons dans ce conflit la même attitude gouvernementale et patronale que nous avions observée, notamment lors des conflits des Batignolles, des navigants de l'aviation civile, de chez Renault et de la SNCF.

Gouvernement et patronat ont préféré subir le préjudice matériel important de grèves prolongées plutôt que de payer le prix bien inférieur des revendications initialement posées. On a même constaté de leur part la volonté délibérée d'entraîner les travailleurs à des épreuves de force dans le but de leur infliger des défaites spectaculaires. ...

Notre conception de la démocratie syndicale n'a rien à voir avec le culte de la base et du « spontanéisme » qui ne fait aucune distinction entre syndiqués et non-syndiqués, exalte l'impatience, nie le rôle de l'organisation, la responsabilité du syndicat et la précieuse expérience accumulée par tant de générations d'ouvriers.

Elle est étrangère à la vieille théorie des minorités agissantes contre lesquelles le mouvement ouvrier français a dû réagir voici un demi-siècle.

Elle s'oppose à la fébrilité de ceux qui manient, à tort et à travers, les mots d'ordre de grève illimitée et qui se moquent éperdument des réactions de l'opinion publique envers le combat de la classe ouvrière. ...

Notre syndicalisme n'a rien de commun avec cette sorte d'opportunisme qui épouse n'importe quel mot d'ordre d'action pour ne pas paraître timoré, pour ne pas avoir à affronter les incompréhensions ou par crainte de perdre des voix aux élections professionnelles. ...

Les réserves de la CGT locale, confirmées par celles de la fédération cégétiste des industries chimiques ne sont donc pas seulement circonstancielles. La proximité dans le temps de l'affaire Overney et la présence parfois bruyante des groupes gauchistes — notamment au sein des comités de soutien lycéens — ne suffisent pas à expliquer l'attitude de l'union départementale et de la fédération cégétiste ; celle-ci s'inscrit dans le cadre d'une conception plus générale, confédérale, de la lutte économique.

Dans son texte d'orientation sur « les luttes aujourd'hui », la commission exécutive de la CGT insiste sur la nécessité d'« adapter l'action aux conditions concrètes de chaque situation » [3]. Trois éléments, parmi les conditions concrètes locales, semblent avoir pesé sur l'attitude de la CGT pendant la grève du Joint, dans le sens d'une modération accrue.

3. Art. cité, p. 30.

Ce sont, d'abord, le rapport des forces syndicales dans l'entreprise et les caractéristiques de la main-d'œuvre. Minoritaire, la section syndicale CGT est animée par des militants dévoués mais sans grande expérience syndicale et politique au moment du conflit [4]. S'ils comptent quelques sympathisants, ni le PCF ni le PSU, malgré leurs efforts, n'ont pu s'organiser dans l'entreprise lorsque la grève éclate. Dans l'ensemble, la main-d'œuvre du Joint échappe à l'influence des partis de gauche traditionnels, et la vie syndicale y est relativement récente puisque ce sont les travailleurs des entreprises voisines qui sont venus faire cesser le travail en 1968.

Ensuite, l'établissement briochin dépend de la CGE : dirigé par Ambroise Roux, ce groupe a la réputation d'opposer une politique intransigeante aux revendications syndicales. Si l'on pense, au départ, que la CGE — dans ce conflit, comme dans ceux qui l'ont précédé dans les autres établissements du groupe — ne cédera pas, la forme d'action retenue, l'arrêt de travail pour une durée illimitée risque d'entraîner les organisations syndicales et les salariés du Joint dans une impasse. Dans cette éventualité, la CGT craint que l'enlisement du conflit ne se traduise rapidement par des divisions au sein des travailleurs, à l'instar des heurts entre grévistes et non-grévistes qui se produisent au même moment aux établissements Paris à Nantes.

Enfin, la CGT redoute d'autant plus de tels heurts — et, plus largement, tous les actes de violence que risque de provoquer un durcissement du conflit — qu'ils ne manqueraient pas, selon elle, d'être utilisés politiquement par le pouvoir à la veille du référendum du 23 avril 1972 [5]. A partir des mêmes conditions concrètes locales, la CFDT, qui, à l'inverse de la CGT, est majoritaire dans l'établissement, développe une analyse aboutissant à des conclusions opposées.

La main-d'œuvre du Joint n'est guère politisée, mais l'expérience syndicale acquise depuis 1968, pour être récente, n'en est pas moins réelle. Les échecs des conflits précédents condamnent à l'avance toute nouvelle tentative de grève localisée à un atelier ou à un service, ou limitée à des débrayages.

Par ailleurs, l'épreuve de force avec la CGE peut avoir une valeur d'exemple [6]. Si l'intransigeance de la direction prolonge le conflit et rend son issue incertaine, cette intransigeance mobilise en même temps des couches de plus en plus larges de l'opinion contre elle, contribuant ainsi à renforcer le soutien qui se développe à l'extérieur de l'entreprise. Comme nous l'avons montré en analysant le mouvement de solidarité, la grève cesse très

---

4. La section CGT traverse une crise interne en 1969 (Cf. *supra*, p. 24). Pendant la grève, la quasi-totalité des tracts communs aux sections CGT et CFDT sont en fait rédigés et tirés au siège de l'union départementale CFDT.
5. Référendum pour lequel cette confédération appelle à voter *non*.
6. C'est l'analyse contenue dans la circulaire de l'inter-CGE-CFDT que nous reproduisons p. 87.

rapidement d'être celle des travailleurs du Joint pour devenir « la grève de Saint-Brieuc », avant d'être celle des travailleurs bretons. Cette solidarité locale puis régionale s'impose aux grévistes, qu'ils soient en grève volontairement ou malgré eux. Au cas où des travailleurs du Joint hésiteraient encore quant à l'opportunité d'une éventuelle reprise du travail, l'occupation de l'usine par les gendarmes mobiles exclut toute reprise partielle.

La proximité du référendum constitue un atout supplémentaire pour une grève qui s'annonce extrêmement populaire dès son déclenchement. De plus, la CFDT régionale voit dans ce conflit l'occasion de donner une audience accrue au débat sur l'industrialisation réalisée en Bretagne.

Deux analyses donc, et deux positions. D'un côté, la CGT estime que le durcissement et le prolongement du mouvement risqueraient de l'isoler et insiste sur la nécessité d'arriver rapidement à un compromis. De l'autre, la CFDT se montre intransigeante pour que les revendications initiales soient satisfaites ; elle justifie cette fermeté en invoquant un rapport de forces dans lequel le temps joue en faveur des grévistes, grâce au développement de la solidarité. Comment, à partir d'une même réalité locale, la CGT et la CFDT en arrivent-elles à cette opposition ? L'inégalité de leur implantation dans l'entreprise et la personnalité très différente des deux leaders départementaux expliquent — en deçà des divergences stratégiques opposant les deux confédérations — ces divergences tactiques.

Parce qu'elle est minoritaire dans l'entreprise et qu'elle n'y dispose pas de militants formés politiquement et capables de défendre ses positions, la CGT cherche moins à exercer son contrôle sur l'activité des grévistes ou de sa section qu'à imposer son analyse dans le cadre du comité intersyndical de solidarité. Dans ce comité, la CGT peut compter sur l'appui des instances départementales de la FEN qui, contrôlées par la tendance Unité et action, partagent ses réserves, et sur l'appui de FO, acquise par principe à l'idée de négociation immédiate. C'est donc au niveau des appareils départementaux que Robert Daniel, le secrétaire de l'UD-CGT, est le mieux placé pour faire aboutir le point de vue de son organisation.

En revanche, Jean Lefaucheur, secrétaire de l'UD-CFDT, isolé au sein du comité intersyndical de solidarité, est conduit à rechercher sur le terrain un rapport de forces qui lui soit favorable. En même temps qu'il s'appuie sur les initiatives du comité de soutien briochin pour forcer la main des appareils présents dans le comité intersyndical, Jean Lefaucheur s'oppose aux mots d'ordre irréfléchis de certains membres du comité de soutien — en particulier des éléments maoïstes — qui risqueraient de provoquer l'éclatement du front syndical, isolant la CFDT.

La poursuite de cette dialectique entre le maintien de l'unité syndicale et les débordements tentés par le comité de soutien suppose une maîtrise de l'événement et une autorité naturelle qui correspondent précisément au sens tactique et au charisme de J. Lefaucheur. Son leadership s'oppose en tous points à la présence plutôt effacée de R. Daniel ; l'interview accordée par J. Lefaucheur à *L'Outil*[7] est à cet égard significative :

« C'est notre responsabilité qui fait notre force dans l'opinion publique. Cet événement (l'occupation de l'Inspection du travail) a été une réaction spontanée des travailleurs qui ont estimé que, puisque les patrons ne voulaient pas lâcher, il fallait rester avec les délégués. En ce sens c'est une réaction très saine. La CFDT s'est inscrite dans cette réaction normale de la nature humaine devant l'événement qu'elle vit. On est resté là-dedans pour que ça se passe le moins mal possible et que la lutte puisse continuer après dans les meilleures conditions. Quand il y a un mouvement de masse, il faut être dedans, savoir le situer, l'utiliser dans une stratégie que l'on poursuit par rapport à un but, avec une tactique qui évite l'irréparable, compter avec la combativité des travailleurs, contrôler l'événement, en sachant que le déroulement d'une lutte doit rester le moyen contrôlé et que le but est la motivation qu'il y avait au départ. Le danger, c'est qu'au fur et à mesure que les événements se déroulent, on ne puisse pas les contrôler, les inscrire dans le sens de l'efficacité que l'on recherche.

... On doit être capable, en tant que responsable syndical, de s'inscrire dans l'événement et de faire qu'il ait les meilleurs résultats possibles. »

Cette présence quasi exclusive de la CFDT sur le terrain et son corollaire, l'attitude de retrait de la CGT, entraînent rapidement une coupure entre la base et l'appareil de la CGT, en même temps qu'elles cristallisent l'opposition entre les responsables respectifs de la CGT et de la CFDT.

LA RUPTURE DU FRONT SYNDICAL

Le 11 avril 1972, Liliane Thune et Alain Covet, secrétaires de la fédération CGT des industries chimiques, et R. Daniel animent une assemblée générale houleuse des adhérents cégétistes du Joint. Prônant la modération, ils sont contestés par certains grévistes qui rendent leur carte de la CGT ; d'autres sont exclus, en particulier le correspondant de *La Vie ouvrière* dans l'entreprise, qui demande à adhérer à la CFDT. Le soir, un communiqué de presse de la CGT « met en garde les travailleurs contre les bruits que répandent les soi-disant " défenseurs " des travailleurs, pour diviser et faire ainsi le jeu de la direction »[8], témoignant des difficultés rencontrées par les responsables cégétistes. Ce décalage entre une partie des adhérents, certains militants et les responsables de la CGT[9] est déjà manifeste pendant l'oc-

7. *L'Outil*, 6, mai 1972, p. 7-8.
8. *Le Télégramme* et *Ouest-France* du 12 avril.
9. Dans un premier temps, les responsables de la section CGT comprennent mal les consignes de modération de leurs responsables départementaux et fédéraux, et partagent le malaise des adhérents. Ce n'est qu'après l'échec des négociations à Paris pendant le week-end du premier mai que la section syndicale CGT échappe définitivement à l'attraction qu'exerce sur elle le dynamisme de l'UD-CFDT.

cupation du siège de l'Inspection du travail et, au lendemain de celle-ci, lorsque R. Daniel refuse de se joindre au cortège qui se rend aux portes de l'usine Sambre-et-Meuse, le 6 avril.

Il s'accompagne d'une dégradation des relations entre la CGT et la CFDT mais les divergences entre ces deux organisations ne prennent un caractère officiel qu'au début de la huitième semaine de grève, le 3 mai, avec la parution d'un communiqué de la section syndicale CGT, intégralement reproduit dans *L'Humanité* [10] :

« ... A travers les dernières négociations, les positions sur les revendications se sont très sensiblement rapprochées puisque sur les salaires, par rapport à la revendication de 0,70 F de l'heure actuellement, les propositions patronales sont de l'ordre de 0,55 F.

La section syndicale CGT considère dans ces conditions qu'un compromis acceptable pour les travailleurs peut être rapidement trouvé, à la condition que la direction de la CGE s'engage, comme elle le prétend publiquement dans la presse de ce jour, dans de nouvelles négociations avec la volonté de trouver une solution valable aux revendications des travailleurs en grève.

Pour sa part, la section syndicale CGT, qui se refuse à faire la grève pour la grève, mais qui considère que la lutte a pour objectif l'aboutissement des revendications, est prête, quant à elle, à prendre toutes ses responsabilités, c'est-à-dire d'une part améliorer les propositions actuelles faites par la direction, d'autre part consulter ensuite les travailleurs de l'usine, y compris en donnant son appréciation sur le compromis pouvant permettre de mettre un terme à la grève.

La section syndicale CGT s'efforcera de faire partager sa position à la section CFDT afin de créer les conditions d'une reprise immédiate et positive des négociations avec la direction. Mais de toute façon, la CGT est bien décidée, en ce qui la concerne, à prendre toutes ses responsabilités dans l'intérêt bien compris des travailleurs de l'usine. »

La section syndicale CFDT réplique immédiatement par un communiqué diffusé sous forme de tract :

LA SECTION SYNDICALE CFDT DU JOINT FRANÇAIS

— S'étonne que la section CGT ait cru opportun à un moment aussi décisif de l'action de laisser croire qu'il y avait des divergences entre les deux organisations.

— Rappelle que les deux organisations CFDT et CGT ont défendu des positions sur :
  • Les revendications des travailleurs (augmentations en valeur absolue et non en pourcentage)
    70 CENTIMES DE L'HEURE ET 13e MOIS
  • La nécessité de négocier
  • Le refus des différents préalables, qu'ils viennent de la direction ou des pouvoirs publics
  • La consultation des travailleurs après amélioration des propositions actuelles.

10. « La section CGT : un compromis est possible », *L'Humanité*, 4 mai 1972.

— Condamne l'attitude utilisée par la section CGT qui consiste à prêter à la CFDT des intentions autres que celles exprimées ci-dessus. ...

— La section syndicale CFDT ne peut croire à un tel revirement de position de la part de la section CGT par rapport à ses engagements antérieurs envers les travailleurs du Joint, engagements qu'elle a toujours tenus jusqu'à ce jour malgré ses divergences avec son UD et sa fédération.

— Dans l'intérêt général des travailleurs du Joint français, il appartient à la section CGT de démentir son précédent communiqué afin de rétablir l'indispensable unité pour la victoire des travailleurs du Joint face à un patronat de choc.

La section syndicale CFDT considère que tout autre attitude renforçant la position patronale serait une véritable trahison, non seulement envers les travailleurs du Joint français, mais également envers l'opinion publique et l'ensemble des travailleurs qui sont solidaires de notre action.

Avec cet échange de prise de position, le désaccord apparaît au grand jour, mais c'est à la fin de la grève — à l'occasion du vote sur la reprise du travail, à la mairie de Saint-Brieuc — qu'il s'exprime le plus violemment. 641 voix se prononcent pour la reprise, 181 — les militants les plus actifs dans la grève — pour la poursuite du mouvement ; une partie des adhérents CFDT et des ex-adhérents CFDT accueillent la communication des résultats du scrutin aux cris de « CGT — trahison ! [11] »

Derrière cette guerre de communiqués et ces réactions polémiques, au-delà de l'affrontement entre unions départementales par sections syndicales interposées, au-delà de l'événement lui-même — de la grève du Joint français — deux conceptions de la lutte syndicale s'affrontent.

Lutte économique et lutte politique selon la CGT et la CFDT

Se réclamant de l'analyse marxiste, la CGT distingue la lutte économique, réponse nécessaire de la classe ouvrière aux « empiètements du capital », de la lutte politique qui vise au renversement du système capitaliste. Le document, déjà cité, établi par la commission exécutive confédérale [12] précise les apports et les limites respectives que la CGT reconnaît à ces deux dimensions des luttes :

11. A un responsable fédéral de la CGT présent qui, embarrassé par ces accusations, prend le parti d'en sourire, un ouvrier du Joint répond, en le pointant du doigt : « Regardez... regardez-le... il a le même sourire que le patron, un sourire ironique qui se fout de la g... de l'ouvrier... le voilà, exactement le sourire du patron ! » Aussi injustes soient-ils, ces propos rendent compte du fossé qui s'est installé pendant la grève entre les responsables de la CGT et certains travailleurs du Joint.

12. Cf. *supra*, note 2, p. 106.

ADAPTER L'ACTION

L'action syndicale peut revêtir les formes les plus diversifiées allant de la simple délégation à l'arrêt de travail limité, à la grève illimitée. ... La valeur d'un mot d'ordre d'action dépend, avant tout, des conditions concrètes de chaque situation.

Toute méthode d'action peut être améliorée, modifiée, adaptée, renouvelée en temps opportun, y compris au cours de la lutte pour tenir compte de son évolution, pour éviter de se retrouver le dos au mur, pour déjouer, à tout moment, les pièges de l'adversaire et faire échec à ses manœuvres de division.

Chaque action, quelle qu'en soit la forme, s'inscrit dans le cadre du combat général et permanent des travailleurs pour résister à l'exploitation dont ils sont victimes, améliorer leurs conditions de vie et de travail, conquérir de nouveaux droits sociaux.

Toutes les actions intelligemment menées, même si elles n'aboutissent qu'à des résultats partiels, concourent à élever le niveau général de la lutte ; elles ont une valeur d'expérience utile à la transformation du mécontentement spontané et de l'instinct de classe en conscience de classe.

Elles stimulent la combativité et créent les conditions de combat de plus grande envergure coordonnés à l'échelle nationale, interprofessionnelle, pour vaincre la résistance de la coalition patronale et gouvernementale et faire avancer tel ou tel objectif revendicatif commun à tous les salariés.

Les actions nationales permettant aux travailleurs de se retrouver tous ensemble, au coude à coude, dans la lutte et dans les manifestations de rue, sont le prolongement normal des multiples formes d'actions partielles.

En affirmant, dans leur accord d'unité d'action, leur volonté d'assurer cette coordination nationale de l'action revendicative, la CGT et la CFDT ont souligné l'importance des responsabilités qui incombent aux confédérations dans le développement de l'action syndicale. ...

Limites et perspectives

L'action revendicative demeure complexe et ses résultats sont constamment remis en question en raison de la nature du régime et de l'âpreté de la lutte des classes qui en découle.

C'est-à-dire que les luttes économiques dont l'importance et la nécessité ne sauraient être contestées, ne peuvent à elles seules faire triompher les changements politiques à partir desquels pourrait se concevoir une politique démocratique de progrès social durable.

Cette volonté de changement progresse, non seulement parmi les travailleurs, mais aussi pour en finir avec une politique entièrement soumise aux intérêts des grandes féodalités industrielles et financières.

Mais il manque encore la concrétisation de cette volonté par l'entente de toutes les forces politiques de gauche qui pourraient, avec l'appui du mouvement syndical, devenir rapidement majoritaires et gouverner la France.

En conscience de cette réalité, la CGT a entrepris de nouvelles démarches auprès des partis politiques de gauche avec la volonté de contribuer à leur accord sur la base d'un programme qui prendrait en charge les revendications essentielles des travailleurs. ...

Cette conception de l'action syndicale et de ses prolongements politiques appelle deux remarques : elle renvoie d'abord à une hiérarchisation implicite des types d'action syndicale dans laquelle le « tous ensemble » des actions nationales interconfédérales coiffe les « multiples formes » des actions partielles et apparaît comme le couronnement de la lutte économique. Ensuite, elle met en garde, en l'absence de perspectives politiques « concrètes », devant deux dangers : une radicalisation de la lutte économique risque soit de tromper les travailleurs en intégrant le mouvement syndical dans une stratégie forcément réformiste, faute de prolongement politique, soit de les isoler vis-à-vis de l'opinion publique en utilisant les excès et les violences provoqués sous le couvert de cette radicalisation [13].

Dans cette optique, la spécificité des revendications [14] et des conditions de la lutte des travailleurs du Joint d'une part, et l'absence d'accord entre les partis de gauche au moment du conflit d'autre part, conduisent les responsables de la CGT à s'opposer à un élargissement et à un durcissement de la grève. Conduite à n'intervenir que pour enfermer le mouvement dans des limites strictement revendicatives et pour hâter la conclusion d'un compromis, la CGT ne dispose pas, au sein de sa section du Joint, de militants suffisamment formés pour argumenter politiquement ses positions. Ces dernières, uniquement défendues — et souvent de façon maladroite — par les structures départementales ou fédérales, apparaissent dès lors aux yeux des grévistes comme une manœuvre bureaucratique de l'appareil cégétiste, ce qui renforce encore l'autorité de la CFDT dans la grève, accroissant du même coup les difficultés de la CGT.

La CFDT conteste cette politique, et, plus largement, la conception même de la lutte syndicale qui la sous-tend, tant en ce qui concerne les formes de la lutte économique et leur hiérarchisation, que la liaison entre lutte économique et lutte politique, retenues par la CGT.

Sur le premier point — les formes de lutte économique et leur hiérarchisation — les militants cédétistes opposent l'« extension », le « développement » ou la « globalisation » des luttes

13. « Le pouvoir n'a pas réussi à duper les travailleurs avec la "nouvelle société", la "concertation permanente", les "contrats de progrès", l'" actionnariat ouvrier" et toutes les autres variantes de la "participation". Sans renoncer à ses objectifs de collaboration de classe, le pouvoir a résolu de faire front aux luttes des travailleurs par l'intransigeance, le lock-out et, au besoin, par la provocation et la répression. Il sait que pareille attitude n'est pas sans risque, mais il compte, tout à la fois, sur la confusion qu'il peut réussir à créer dans l'opinion publique, sur la division, sur l'activité des syndicats de collaboration de classe et sur la besogne désagrégatrice d'éléments troubles opérant directement ou indirectement pour son compte. » « Comment lutter aujourd'hui ? », *art. cité*, p. 30.
14. Augmentation du salaire horaire de 70 centimes pour tous et rattrapage avec Bezons.

déjà engagées dans les entreprises aux journées nationales inter-confédérales [15] :

> « " Le meilleur moyen de développer l'action est de s'engager résolument dans les conflits et de les mener de façon unitaire du début jusqu'au succès ", déclarait la commission exécutive de la CFDT le 10 mai.
> C'est à partir de cette analyse de la situation réelle que la CFDT a fait à la CGT, le 9 mai, des propositions pour une action commune résolument offensive, afin d'éviter les hiatus trop souvent constatés entre les deux organisations à l'occasion de certains conflits.
> La CGT, pour sa part, s'est limitée à la proposition d'une journée nationale interconfédérale. Dans les circonstances actuelles, a déclaré la commission exécutive, " la CFDT considère une telle journée comme inadaptée et inefficace pour les raisons suivantes :
> — elle ne peut être que l'expression momentanée et sans suite du mécontentement ;
> — elle risque de contrecarrer le développement des actions en cours ;
> — une telle manifestation unitaire n'a ni sens ni débouché si les deux organisations les plus représentatives ne soutiennent pas d'abord en commun les luttes engagées par les travailleurs dans les entreprises " ...
> La question n'est pas d'être pour ou contre le principe de journées nationales interconfédérales. Mais de savoir comment, dans les circonstances présentes, assurer le maximum d'efficacité et de débouchés à l'action, en traduisant le mieux la volonté des travailleurs et sans plaquer des mots d'ordre inadéquats. »

S'ils n'ignorent pas la nécessaire complémentarité entre des actions globalisées — permettant aux travailleurs de se retrouver « tous ensemble, au coude à coude, dans la lutte et les mobilisations de rue » à l'appel des confédérations — et des actions diversifiées — coordonnées au niveau de l'entreprise, de la branche ou de la région — la majorité des militants de la CFDT, et pas seulement les dirigeants, préfèrent manifestement ces dernières. Plusieurs raisons expliquent ce choix.

Minoritaires au niveau national, face à la CGT, les cédétistes peuvent rencontrer un rapport de forces plus favorable au niveau de telle entreprise, telle branche ou telle région [16]. Insérés dans des milieux plus ou moins proches de la tradition chrétienne, souvent formés eux-mêmes par les organisations de jeunesse ou les mouvements d'action catholique, les militants de la CFDT opposent facilement les vertus du « spontanéisme révolutionnaire » et de la créativité de la base à l'« opportunisme bureaucratique » des appareils. Enfin, la pratique syndicale depuis 1967, dans la mesure où elle se traduit généralement par un caractère plus démobilisateur que mobilisateur des journées nationales d'action, les confirme dans ce choix.

Cette priorité aux actions syndicales décentralisées est d'autant plus partagée à la CFDT que ses responsables refusent de prendre

---

15. « Ne pas se laisser détourner de l'offensive », *Syndicalisme Hebdo*, 1394, 25 mai 1972 (Éditorial).

16. C'est précisément le cas de l'établissement briochin du Joint français et de la Bretagne.

en considération la distinction entre lutte économique et lutte politique [17].

Dans le conflit du Joint, deux structures CFDT ont vocation à intervenir politiquement au nom de l'organisation syndicale : le secteur politique confédéral et l'union régionale Bretagne.

Instance confédérale, le secteur politique se limite à une fonction de documentation [18] interne et de représentation de la CFDT dans les rencontres et les actions communes entreprises avec les différents partis ou forces politiques. Ces contacts d'organisation à organisation gardent un caractère généralement officiel ; ne prenant pas en charge la dimension politique des conflits, le secteur n'intervient pas pendant la grève du Joint.

Réunis en session extraordinaire à Mûr-de-Bretagne dès le 31 mars 1972, la commission exécutive de l'union régionale CFDT et les principaux responsables de branches et de localités demandent à leurs organisations de « prendre toutes les mesures pratiques pour multiplier les collectes » [19]. L'union régionale diffuse dans l'ensemble de la Bretagne une douzaine de tracts tirés à plusieurs milliers d'exemplaires, dans lesquels elle expose les revendications des grévistes et appelle à la solidarité. Elle prend une part active dans l'organisation des manifestations régionales, le 18 avril et le 3 mai. Dans toutes ces interventions, l'union régionale CFDT, se réclamant d'un syndicalisme « réformiste », refuse d'inscrire son action dans un projet politique, quel qu'il soit [20] :

> « Dans les analyses et stratégies en présence, nous passons un peu vite sur l'analyse du " réformisme " dont il ne faudrait cependant pas " sous-estimer l'importance " — En définitive, puisque nous n'avons pas, à juste raison, une pratique révolutionnaire dans le sens de la définition léniniste, sommes-nous autre chose que des réformistes dans notre action syndicale? Pourquoi avoir honte d'appeler les choses par leur nom ? Un syndicat qui n'est pas révolutionnaire ne peut être dans la pratique qu'un " syndicat de réformes ", à moins de tomber dans le " gauchisme " ...
> N'est-il pas temps d'arrêter un peu notre discours politique pour redécouvrir notre vocation syndicale ?
> L'importance qu'a prise la discussion politique au sein de la CFDT ne facilite plus une véritable prise de conscience politique devant aller jusqu'à l'adhésion à un parti socialiste.

17. Le développement de la CFDT et sa pratique de l'unité d'action l'ont contrainte, au cours de ces dernières années, à approfondir et préciser ses positions concernant les formes d'une action syndicale de masse. En revanche, il n'existe pas de position confédérale claire pour ce qui concerne les limites et la dimension politique des luttes syndicales au moment de la grève.

18. Le secteur publie régulièrement des notes d'information sur la conjoncture politique ou des notes documentaires sur les différentes forces politiques.

19. Communiqué de presse du 31 mars 1972.

20. UR-CFDT de Bretagne, *Note de réflexion et de recherche de l'expression politique de la CFDT*, mai 1972, doc. ronéo., p. 13-14. Dans leur non-intervention politique dans le conflit, l'union régionale et le secteur politique se rejoignent, mais sur la base d'analyses différentes. La position du secteur politique résulte en partie de l'influence exercée par la tradition anarcho-syndicaliste du mouvement ouvrier français sur la CFTC, puis la CFDT depuis 1946. Celle de la région Bretagne résulte au contraire de la référence à une stricte division du travail entre partis et syndicats.

Si certains adversaires disent qu'à la CFDT on remplace la fonction syndicale par une fonction purement politique, n'y a-t-il pas au sein même de l'organisation des camarades qui cherchent leur dimension de l'action politique dans le syndicat au lieu de participer à la vie politique d'un parti ? ... »

Si l'union régionale CFDT s'efforce, dans ses interventions, de relier la grève du Joint au problème de la « qualité » des emplois créés en Bretagne, elle situe les responsabilités du conflit essentiellement au niveau de la direction générale du Joint, et non à celui de la rationalité économique dans laquelle cette direction s'inscrit :

LES RESPONSABLES DU CONFLIT : Pour la CFDT, il ne fait aucun doute que la direction, de par son comportement, porte une lourde responsabilité dans l'origine et la continuité de ce conflit, préférant perdre de l'argent que de négocier.
Le directeur n'a-t-il pas déclaré devant les travailleurs que sa société perdait 18 millions d'A.F. par jour ?
La perte économique résultant de la grève sur 3 semaines coûtera plus cher à l'entreprise que 2 années et demi d'application de l'augmentation demandée.
Par ailleurs, en n'hésitant pas à faire appel aux forces de police pour occuper l'usine et malgré l'opposition de la municipalité de Saint-Brieuc qui s'est déclarée pleinement solidaire des grévistes, les pouvoirs publics appuient cette direction de combat et portent également une responsabilité dans le prolongement du conflit.
CETTE GRÈVE NOUS CONCERNE TOUS : A travers les multiples actions menées ces dernières années pour exiger un réel développement économique de la région, c'est la création massive d'emplois que les travailleurs ont réclamée.
MAIS PAS N'IMPORTE QUELS EMPLOIS !
Ce que nous avons toujours réclamé ce sont des emplois qualifiés et qui permettent de faire vivre dignement une famille.
En conséquence, l'union régionale CFDT dénonce le comportement de la direction de cette entreprise qui est venue s'installer en Bretagne pour exploiter les travailleurs. ...

Extrait d'un tract de l'UR-CFDT, diffusé le 1er avril 1972.

La dimension politique de la grève du Joint n'est abordée qu'à travers la condamnation de l'intervention des forces de l'ordre, de façon anecdotique. Il faut attendre la fin du conflit, l'opinion locale étant démobilisée, pour que l'union régionale CFDT mette la qualité des emplois créés en Bretagne en regard avec les orientations du Sixième Plan, et esquisse une condamnation — qu'on peut juger sommaire — du capitalisme [21].

21. « C'est cette notion de " rentabilité maximum " que la CFDT a toujours condamnée et contestée, elle est d'autant plus condamnable que jamais, ni

L'analyse politique des responsables de la CGT, en leur imposant une attitude réservée devant le prolongement et le durcissement de la grève, réduit leur audience auprès des grévistes et, du même coup, leurs possibilités d'intervention sur les aspects strictement revendicatifs du conflit. Inversement, c'est l'absence de projet politique précis, donc d'une stratégie claire, qui permet à la CFDT de s'employer — sans limitation — à radicaliser la lutte économique des travailleurs du Joint français.

En définitive, cette dialectique entre l'intervention de la CGT et celle de la CFDT aboutit dans la pratique à la fois à radicaliser la lutte dans sa dimension économique, et à réduire sa dimension politique. L'intervention des partis ou des groupes politiques présents autour de la grève corrige-t-elle ce double processus, ou le renforce-t-elle ?

L'enjeu pour les forces politiques

Il y a pratiquement autant de formes d'intervention politique dans la grève qu'il y a de forces politiques en présence. Deux tendances se dégagent toutefois de cette diversité, en relation avec l'objectif implicite qu'elles s'assignent.

Les trotskystes de la Ligue communiste et les maoïstes cherchent — de façon plus ou moins avouée — à intervenir directement dans la conduite de la grève, voire à substituer leur direction à celle des structures syndicales, ou du moins à la concurrencer.

Les partis traditionnels — essentiellement le PCF et le PSU [22] — limitent au contraire leur intervention à l'organisation matérielle du soutien. S'ils interviennent politiquement, c'est essentiellement dans le cadre des responsabilités spécifiques de leurs élus.

COMITÉ DE GRÈVE, SYNDICATS ET UTILISATION POLITIQUE DE LA VIOLENCE SELON LES TROTSKYSTES ET LES MAOÏSTES

Les divergences déjà notées au sein du comité de soutien briochin entre la Ligue communiste et les groupes maoïstes (cf. *supra*,

le patronat ni l'Etat, promoteurs du Sixième Plan, n'ont voulu admettre le principe même d'une étude sur le coût global et réel de l'infrastructure des régions à forte centralisation, telle que la région parisienne. Le conflit du Joint français est donc l'occasion une fois de plus pour la CFDT de condamner ce Sixième Plan qui favorise les régions à forte concentration industrielle aux dépens de région comme la Bretagne. ... Si des résultats ont été obtenus, les problèmes de fond ne sont pas résolus, patronat et pouvoir politique continueront en effet d'imposer aux travailleurs les conditions d'exploitation inhérentes à la société capitaliste. » (Extrait d'un tract de l'UR-CFDT diffusé début juin, où l'union régionale expose par ailleurs son refus de participer à la journée nationale d'action organisée par la CGT le 7 juin 1972).

22. Le Parti socialiste, presque inexistant à Saint-Brieuc depuis le passage au PSU d'A. Mazier en 1958 (Cf. *supra*, p. 47), est absent du conflit, à l'exception d'un conseiller qui représente par ailleurs ce parti au sein de la municipalité briochine.

p. 69) se retrouvent dans la façon dont les uns et les autres conçoivent leur intervention politique dans la grève. Si trotskystes et maoïstes s'opposent aux forces traditionnelles en intervenant directement dans le conflit et en réclamant la mise en place d'un comité de grève, ils s'opposent également entre eux sur la signification et les modalités de cette intervention.

La Ligue communiste demande dès le début du conflit[23] la constitution d'un comité de grève. Si l'on voit bien les fonctions que l'organisation trotskyste attribue aux comités de grève — permettre l'unité des grévistes en dépassant les divisions syndicales et confronter toutes les suggestions — on voit moins en revanche sur quels fondements politiques elle justifie leur composition. Dans une de ses brochures consacrée aux comités de grève, la Ligue communiste affirme en même temps la nécessité de « travailleurs d'avant-garde qui sachent transmettre les acquis du mouvement ouvrier »[24] et la nécessité d'intégrer à la direction de la grève les « non-militants, voire les non-syndiqués qui en veulent le plus, les plus enthousiastes dans le lancement du mouvement »[25]. Une telle analyse postule une proximité de vues — sinon une identité — entre des avant-gardes permanentes, nécessairement présentes et actives dans les sections syndicales, et des avant-gardes nées spontanément avec le conflit. Réelle dans l'exemple retenu par la brochure de la Ligue[26], cette identité de vues n'est pas une donnée a priori des autres conflits sociaux ; induire cette identité ne la crée pas forcément dans les faits.

Les maoïstes du PCMLF[27] sont moins ambigus : le comité de grève, pour animer une lutte « classe contre classe », se constitue nécessairement contre les directions syndicales en place[28].

23. *Taupe rouge* du 15 mars 1972.

24. « L'idée de l'auto-organisation des luttes, aussi juste et séduisante soit-elle, ne s'impose pas d'elle-même dans les grèves. Elle a besoin, pour prendre corps quand les occasions se présentent, d'un travail préparatoire. Elle a besoin d'être prise en charge par des travailleurs d'avant-garde qui sachent transmettre les acquis du mouvement ouvrier en la matière ... » *Pourquoi des comités de grève ? L'exemple de l'EGF-Brest*, Supplément à *Rouge*, 187, p. 19.

25. *Ibid.*, p. 14.

26. Les responsables syndicaux locaux CGT et CFDT « favorisèrent en particulier la mise en place et le fonctionnement démocratique du comité de grève. Ils en furent membres d'un bout à l'autre et y jouèrent un rôle d'animateurs actifs. » *Ibid.*, p. 18.

27. Les seuls régulièrement présents pendant toute la durée du conflit, contrairement aux autres groupes qui n'apparaissent qu'épisodiquement, à travers quelques militants venus de Paris ou de Rennes (cf. *supra*, p. 68). Les militants de la tendance Gauche révolutionnaire du PSU interviennent rarement comme tels, il est de ce fait difficile d'évaluer leur rôle réel dans la grève en tant que groupe organisé. Un tract signé Gauche révolutionnaire et diffusé après l'occupation de l'Inspection du travail résume leurs positions : dénonciation des syndicats qui « freinent » les ouvriers « combatifs », imposition de la « démocratie de masse qui préfigure le socialisme » en en prenant les moyens. (« Déjà pour 70 centimes les patrons envoient les flics. Ils ne lâcheront pas le pouvoir facilement. Les gardes mobiles ont des fusils, les ouvriers devront les prendre ! »)

28. « Sortir le mouvement syndical de son impasse électoraliste, contre-révolutionnaire, lui donner un caractère de classe contre classe, c'est apporter

Ces divergences entre trotskystes et maoïstes sur les comités de grève traduisent en fait deux pratiques opposées. Si les uns et les autres s'assignent pour objectif la direction politique du conflit, et s'ils dénoncent également dans leurs écrits les directions syndicales [29], leurs actions sur le terrain diffèrent profondément.

Pendant la grève, les militants de la Ligue communiste évitent d'attaquer ouvertement l'UD-CGT et entretiennent de bonnes relations avec l'UD-CFDT. Par leurs mots d'ordre [30], leurs slogans [31], la présence dans toutes les actions d'un permanent et de quelques militants, la diffusion quasi quotidienne d'une *Taupe rouge*, les trotskystes — tout en s'efforçant de ne pas apparaître comme remettant en question les directions syndicales — cherchent à peser sur le mouvement dans le sens de son durcissement, en influençant les positions des militants cédétistes. Après le conflit, s'ils condamnent violemment l'attitude de la CGT, leurs critiques à l'égard de la CFDT sont relativement modérées et portent plus sur la forme que sur le fond des positions de cette organisation [32] :

> « Tout au long de la grève, les responsables CFDT ont dit qu'ils se battaient contre le freinage de la direction CGT. C'est possible, mais en fait ils se sont battus dans les couloirs en tant que cédétistes. Or, s'il fallait avancer des propositions de lutte, pourquoi ne pas les avoir décidées et discutées dans une assemblée des grévistes, pourquoi ne pas les avoir fait défendre par un comité de grève. ... »

Les maoïstes regroupés autour du *Travailleur briochin* entrent au contraire très vite en opposition avec les directions syndicales locales (cf. *supra*, note 17, p. 30). Privilégiant l'organisation à la base, éventuellement en dehors du syndicat, ils voient dans le dynamisme de J. Lefaucheur la manifestation d'une capacité de « récupération » de la CFDT qu'il importe de dénoncer auprès des grévistes autant — sinon plus — que le « freinage » de la CGT [33] :

> « Le travail de dénonciation des directions syndicales avait été entrepris avant la grève, mais au moment de l'occupation, on ne peut pas dire que ce travail était suffisamment développé pour que le comité de grève soit un grand rassemblement des militants les plus combatifs,

aux ouvriers une conscience claire sur ce que sont les lignes syndicales de la CGT et de la CFDT, sur les gens qui sont aux postes de direction et qui sont au service de ces lignes. » Le *Travailleur briochin*, op. cit.

29. Cf. par exemple LIGUE COMMUNISTE, « La CGT, le PCF et les révolutionnaires », *Taupe rouge* 7, s.d., 62 p. ; LIGUE COMMUNISTE, « Pour une CFDT de lutte de classe, *Taupe rouge* 3, 23 p. ; JOUR (H.), « Vive le syndicalisme de lutte de classe ! » et « Le travail syndical hors des syndicats », *L'Humanité rouge*, 136 et 138, 24 fév. et 9 mars 1972 ; « CGT des cheminots et lutte de classe », supplément à *L'Humanité rouge*, 131.

30. Cf. *supra*, *Taupe rouge* du 25 nov. 1971, reproduite p. 28.

31. « On ne travaille pas le fusil dans le dos ! », « Les flics occupent l'usine, nous occupons la rue », etc.

32. « Joint français, de la colère à la victoire », Supplément à *Rouge*, 160, p. 80.

33. « Le Joint français, vive la lutte classe contre classe ! » Le *Travailleur briochin*, op. cit., non paginé.

soutenus par l'ensemble des ouvriers de l'usine. Loin de là. C'est la raison pour laquelle le comité de grève ne sera pas élu par l'ensemble des travailleurs. Cependant il faut dire que les initiatives qui ont été proposées au début par le comité de grève furent suivies par les travailleurs en lutte. Ce travail se trouvera facilité pendant la grève. Notamment dans la section CGT. Là, les militants ont vu que la CGT freinait le mouvement au maximum, qu'il dérangeait les directions. ... Un grand nombre de militants sont entrés à la CFDT en ne sachant pas ce que ce geste représentait réellement. La partie la moins solide du comité de grève a ainsi rejoint la CFDT, découragée. Et de ce fait, la partie du comité de grève la plus consciente, celle pour qui dénoncer la CGT ne voulait pas dire entrer à la CFDT s'est trouvée divisée. La CFDT le verra clairement. Les erreurs du comité de grève vont se multiplier sur le terrain de la lutte (il hésite à dénoncer les manœuvres de la CFDT). Cependant, même à ce moment là encore, les éléments entrés à la CFDT adhèrent aux initiatives du comité de grève (tract, séquestration). Le jeu de l'UD-CFDT était maintenant clair : neutraliser à tout prix le comité de grève qui proposait des actions " dures " et prendre complètement la direction de la grève. Il faut dire que dans ce travail, l'UD-CFDT trouva un précieux partenaire : la Ligue communiste. ...
Vers la fin de la grève, le comité de grève a fonctionné d'une manière trop souterraine et n'a pu s'imposer face aux propositions de l'UD-CFDT. A partir de ce moment-là, le comité de grève devenait de plus en plus un " comité de lutte " regroupant les militants qui ne voulaient pas s'en laisser compter par les UD, mais coupés de la base. L'erreur du comité de grève aura été de ne pas savoir apprécier les forces de récupération de la CFDT, et en fonction de ses possibilités de ne pas se laisser isoler. »

Cette opposition atteint son intensité maximum le premier mai, lorsque, à l'occasion d'un meeting organisé en faveur des grévistes par la CFDT, J. Lefaucheur est pris à parti publiquement par des militants maoïstes qui le somment de s'expliquer sur son intervention auprès des forces de l'ordre avant la fin de l'occupation du siège de l'Inspection du travail [34].

Les divergences entre trotskystes et maoïstes s'accusent encore en ce qui concerne leur attitude à l'égard de l'organisation, du spontanéisme et de la violence. S'affichant ostensiblement dans les manifestations en tant que membres de la Ligue communiste, les militants trotskystes s'efforcent d'éviter des affrontements spontanés entre les grévistes et les forces de l'ordre, en l'absence d'un rapport de forces et de perspectives politiques favorables aux manifestants. Ils les encouragent en revanche lorsqu'ils estiment ces conditions favorables remplies [35] :

« Comment résister à cette violence patronale ? Ce n'est pas une question née de cervelles gauchistes obsédées de cogne : c'est le problème qui va se poser systématiquement à tous les travailleurs qui se lancent dans les luttes « dures » (pas par plaisir, comme dirait Krasucki, mais parce que souvent il n'y a pas le choix !).

34. Les militants maoïstes exhibent une lettre anonyme, expédiée de Saint-Nazaire et vraisemblablement rédigée par des militants du PCMLF. Cette lettre accuse le secrétaire de l'UD-CFDT d'avoir facilité, en accord avec la police, le départ des membres de la direction du Joint retenus par les grévistes au siège de l'Inspection du travail. Les maoïstes interviewés après le conflit n'ont pu nous fournir que des explications embarrassées et contradictoires quant à l'origine de cette lettre.
35. De la colère à la victoire, op. cit., p. 82-84.

Après décision du tribunal des référés, les flics vont expulser le piquet de grève ! Qu'est-ce qu'on fait ? Ils occupent l'usine, qu'est-ce qu'on fait ? Ils font rentrer les jaunes, qu'est-ce qu'on fait ?
Il n'y a pas de réponse toute faite. C'est vrai ! On ne répond pas toujours à l'ennemi sur son terrain, c'est vrai ! Mais les patrons et le pouvoir doivent sentir que l'intervention des flics leur coûte très cher et pour cela il faut systématiquement préparer les travailleurs à la résistance. ... Il faut tenir compte aussi du contexte politique : il y a certaines occasions tout à fait favorables pour les travailleurs, si le pouvoir prend la responsabilité d'un affrontement.
On a été confronté avec une telle situation avec la manifestation du 18 avril, nous étions à quelques jours du référendum, dans une situation politique exceptionnellement propice : nous avons préconisé la montée au Joint pour la manifestation des 12 000, ce n'était pas un objectif-gadget qui solutionnait tous les problèmes. Mais le pouvoir avait les mains liées : ou bien il cachait ses flics et c'était une défaite considérable, ou bien il les interposait et il prenait la responsabilité d'affrontements difficilement supportables à la veille du référendum ... »

Cultivant à l'inverse le mythe de la clandestinité, veillant à ne pas apparaître en tant que groupe organisé, les maoïstes s'efforcent systématiquement de développer une violence spontanée qui puisse déclencher le cycle « provocation-répression ».

Au-delà de leurs divergences théoriques et pratiques, trotskystes et maoïstes ont pour objectif commun la radicalisation de la grève et l'affirmation de son caractère de classe, au risque de réduire la mobilisation de masse qui l'accompagne. Cet objectif est par nature contradictoire — à terme — avec le compromis négocié dont les organisations syndicales ont la responsabilité. Trotskystes et maoïstes sont de fait — plus ou moins rapidement et plus ou moins ouvertement — amenés à s'opposer aux responsables syndicaux en même temps qu'ils sont conduits à s'isoler par rapport à la majorité des grévistes. Ils s'opposent en cela aux partis traditionnels.

LES CARENCES DES PARTIS DE GAUCHE TRADITIONNELS

Pendant la grève du Joint, les instances locales du PCF et du PSU affrontent un ensemble de contraintes communes dont certaines les rapprochent et d'autres les opposent, mais qui pèsent toutes sur leur attitude pendant le conflit. Le Parti communiste et le PSU participent ensemble à la municipalité d'union populaire de Saint-Brieuc. Aucun de ces deux partis ne peut donc prendre l'initiative d'une rupture trop marquée qui ouvrirait une crise municipale. Condamnés à gérer ensemble la municipalité briochine, les responsables du PCF et du PSU appartiennent en même temps à des organisations qui — au moment du conflit — s'affrontent aux niveaux national et local à l'occasion des prolongements de l'affaire Overney et des consignes de vote adoptées pour le référendum du 23 avril.
La plupart des responsables départementaux de la CGT adhèrent au PCF et de nombreux militants de l'UD-CFDT ont

leur carte du PSU ou sympathisent avec ce parti. En revanche, si avant le conflit des militants communistes et PSU participent à des ventes régulières, aux portes du Joint, de leurs journaux respectifs, aucun de ces deux partis n'est parvenu à s'implanter dans l'établissement. Extérieurs au climat social de l'usine, ne bénéficiant pas d'un accès direct auprès des grévistes par l'intermédiaire de militants travaillant au Joint, le PCF, comme le PSU, dépendent, pour leur information, de la médiation exercée par les unions départementales. Le PCF et le PSU ne peuvent donc pas éviter de définir leur propre position par rapport aux divergences syndicales qui se développent entre la CGT et la CFDT. Mais aucun des deux partis ne souhaite apparaître comme contribuant à une éventuelle rupture du front syndical, compte tenu de la popularité de la grève dans l'opinion publique locale.

Nous avons vu qu'après un temps d'hésitation, le Parti communiste participe de son côté au mouvement de solidarité financière (cf. *supra*, p. 60-61). Le PCF multiplie en même temps les mises en garde contre les risques d'utilisation politique du conflit par certains groupes. Mais le manque d'explications politiques accompagnant ces mises en garde est significatif de l'embarras des responsables locaux du parti :

> « Il faut dire les choses... on n'a pas tellement sorti de matériel, à part les communiqués de presse pendant la grève... on a peut-être craint un peu trop d'ailleurs d'apparaître comme des gens qui venaient apporter leur politique aux travailleurs. Les gauchistes ne se sont pas gênés. Pendant toute la grève, ils diffusaient leur matériel alors que nous... Bien sûr, le soutien ne se mesure pas non plus à la quantité de papier qu'on a sorti les uns et les autres... il semble aussi que les camarades de la CGT ont mal apprécié la situation, ils ont sorti du matériel sans expliquer la grève, la CFDT est apparue pendant la grève comme plus active que le syndicat CGT ... »
> (Responsable de la Fédération des Côtes-du-Nord du PCF, interviewé après le conflit.)

Sur l'ensemble des cellules briochines, nous n'avons recensé que trois tracts, consacrés — en partie seulement — à la grève. Le PCF local intervient essentiellement par la voie de communiqués de presse [36] et par l'intermédiaire de *Bretagne nouvelle* [37]. Encore faut-il observer que, dans ce journal, l'information sur la grève du Joint français reste circonscrite aux pages concernant les nouvelles des Côtes-du-Nord. Elle n'y occupe une dimension régionale qu'à partir de la dernière semaine de grève, lorsque les dissensions syndicales deviennent publiques [38]. Quantitativement limitée, cette information est exclusivement centrée sur le contenu revendicatif de la grève. A l'occasion par exemple

36. La publication de ces communiqués par la presse locale donne lieu à une polémique entre, d'une part *Ouest-France* et *Le Télégramme*, d'autre part la fédération du PCF, cette dernière reprochant à ces journaux un traitement inéquitable entre ses propres communiqués et ceux de la Ligue communiste.
37. Supplément régional à *L'Humanité-Dimanche*.
38. Après que *L'Humanité* eut publié le communiqué de la section CGT appelant à « un compromis possible », cf. *supra*, p. 111.

de la campagne communiste en faveur du *non* au référendum, un seul tract de la fédération des Côtes-du-Nord intègre le conflit du Joint à l'enjeu politique de la consultation, et de façon succincte :

... L'EXEMPLE DU JOINT FRANÇAIS

L'EUROPE que M. POMPIDOU propose, c'est l'EUROPE des grandes sociétés capitalistes. Malgré leurs contradictions, leur concurrence, elles veulent s'entendre à l'échelle européenne, pour aggraver encore l'exploitation des travailleurs et pour s'opposer à leurs luttes.

L'EXEMPLE DU JOINT FRANÇAIS MONTRE COMBIEN SONT DURES LES LUTTES CONTRE LES GRANDES SOCIÉTÉS MULTINATIONALES COMME LA CGE. L'EUROPE DE M. POMPIDOU a pour but de renforcer encore l'emprise de ces grands trusts. Les décisions concernant l'emploi, les salaires seraient prises par des organismes « supranationaux », c'est-à-dire échappant à tout contrôle de notre peuple et des élus, et obéissant aux hommes du grand capital européen et aussi américain. IL DEVIENDRAIT ENCORE PLUS DIFFICILE POUR LES TRAVAILLEURS DE DÉFENDRE LEURS REVENDICATIONS.

Extrait d'un tract de la fédération du PCF des Côtes-du-Nord, intitulé « Pour les revendications des travailleurs. Non à Pompidou le 23 avril ! » et diffusé pendant la campagne référendaire.

La rapidité avec laquelle le PCF passe sur l'événement briochin témoigne de sa volonté, déjà notée par ailleurs, de laisser le conflit du Joint à l'écart du débat politique. L'isolement local et national du PCF au moment de la grève explique cette attitude.

Localement, le PCF ne dispose pas d'un relais syndical solide qui lui permette de défendre efficacement ses positions auprès des grévistes, et de contrôler le déroulement du conflit. La section CGT donne l'impression d'être à la remorque de l'UD-CFDT (cf. *supra*, note 4, p. 108) et les responsables départementaux de la CGT sont visiblement coupés des travailleurs du Joint.

Les positions nationales du Parti sur le référendum renforcent encore cet isolement local. Dans le contexte de la « bataille de Saint-Brieuc », les tenants de l'abstentionnisme opposent volontiers la lutte des travailleurs du Joint aux « illusions électoralistes » des communistes [39]. Dans ces conditions, toute politisation du conflit ne peut qu'accentuer cette opposition et accroître l'isolement du PCF.

Au-delà de l'échéance du référendum, le PCF estime que, faute d'un accord au sein des partis de gauche, les luttes sociales n'ont

39. Abstention, boycott, vote blanc ou nul : bien que pour des raisons et après des analyses apparemment très diverses, le PS, le PSU et les divers groupes gauchistes opposent un front uni à l'isolement du *non*. A Saint-Brieuc, il semble que le PCF soit le seul parti politique qui intervienne dans la campagne.

— comme en 1968 — pas de perspectives politiques. En enfermant ces luttes dans un cadre strictement revendicatif, les communistes limitent leur portée et évitent que des conflits perçus comme exemplaires ne se généralisent pour retomber ensuite et décevoir les travailleurs, faute de débouchés. En réduisant la lutte syndicale à sa seule dimension économique, le PCF espère aussi contraindre ses partenaires au sein de la gauche politique et syndicale à intégrer les luttes revendicatives à une lutte politique plus large, en créant « les conditions de la réalisation de l'union des forces ouvrières et démocratiques ».

Au PSU, en revanche, ce ne sont pas les orientations nationales du Parti qui limitent la liberté de manœuvre de ses militants. En prônant l'abstention au référendum, le Parti facilite l'équivoque anti-électoraliste entretenue depuis 1968 par la plupart de ses militants [40]. La grève du Joint, en s'inscrivant naturellement dans la priorité donnée à « une Europe des travailleurs construite dans les luttes » renforce, localement, la consigne nationale d'abstention [41] :

Ne tombons pas dans le piège
PRIORITÉ : JOINT FRANÇAIS
« Le PSU appelle les travailleurs à ne pas tomber dans le piège du " OUI OU NON " et à s'abstenir massivement le 23 avril (ou à déposer un bulletin nul). »
LA LUTTE DU JOINT FRANÇAIS MONTRE OU SONT LES VRAIS PROBLÈMES
Ouvriers - Paysans - Employés - Techniciens - Cadres - Artisans
Etudiants - Enseignants - Commerçants, etc.
IL NE FAUT PAS QUE LE RÉFÉRENDUM-PLÉBISCITE DÉTOURNE LES TRAVAILLEURS DE LEURS LUTTES CAR :

L'EUROPE DES PATRONS :	L'EUROPE DES TRAVAILLEURS :
— celle du profit	— celle de la coordination des luttes
— celle des concentrations	— celle de la solidarité des travailleurs
— celle de l'exode rural	— celle de l'égalité des droits politiques et syndicaux
— celle d'une Bretagne sous-développée	— celle qui conduit au socialisme
LES CAPITALISTES L'ONT FAITE SANS NOUS CONSULTER	NOUS LA FAISONS DANS LES LUTTES OUVRIÈRES ET PAYSANNES

23 AVRIL : ABSTENTION
Fédération du PSU, 3, rue Quinquaine, 22 Saint-Brieuc.

---

40. « De nouvelles forces n'entrent plus dans ce jeu (électoral) et portent le débat à la base, partout où la confrontation dans la lutte peut se faire en toute clarté. Ces forces encore très dispersées, très divisées, peuvent déjà cependant se manifester avec éclat dans la rue et sur les lieux de travail. Elles peuvent un jour déjouer les plus savantes supputations électorales », *Le Combat socialiste*, 629, 1er avril 1972.
41. *Le Combat socialiste*, 632, 22 avril 1972.

L'ampleur du soutien à la grève et le désintérêt général qui accompagne la campagne référendaire permettent aux responsables locaux du PSU d'opposer les « luttes à la base » aux « supputations électorales » du moment, sans hypothéquer leur propre avenir électoral. En la personne du maire de Saint-Brieuc, le PSU dispose en effet d'un candidat bien placé pour obtenir le siège de la circonscription aux prochaines élections législatives — à condition toutefois que les positions prises à l'occasion du conflit du Joint n'effraient pas une partie de sa clientèle. Favorable — avec la CFDT — au durcissement du conflit, actif au sein du comité de soutien aux côtés de la Ligue communiste, le PSU dénonce les mises en garde répétées du PCF et de la CGT. Mais en même temps, le maire de Saint-Brieuc, Y. Le Foll, est présent aux côtés d'E. Quemper, premier adjoint communiste, dans toutes les manifestations intersyndicales. Le PSU ne peut se maintenir dans cette situation ambiguë que parce qu'il s'inscrit chaque fois dans le sens d'une opinion publique locale acquise aux grévistes. Cette double contrainte — ménager une partie de son électorat en vue des élections prochaines, et soutenir les travailleurs du Joint — conduit le PSU à développer conjointement deux types de discours et d'interventions politiques. D'un côté, le PSU souligne la portée politique du conflit, en insistant sur son contenu de classe et sur le caractère « colonial » de l'exploitation dont sont victimes les grévistes [42]. Mais ces interventions s'adressent exclusivement aux militants et aux sympathisants connus, par l'intermédiaire de *Combat socialiste*, l'organe de presse fédéral. De l'autre, ses communiqués dans la presse d'information locale sont peu nombreux et se limitent généralement à des appels à une solidarité économique.

C'est surtout l'attitude défensive et restrictive du PCF qui conduit à valoriser — en contrepoint — le rôle politique du PSU dans le conflit. En fait, le PCF comme le PSU risquent, en intervenant directement dans la grève, au mieux de gêner leurs alliés syndicaux respectifs, au pire de provoquer l'éclatement d'une unité syndicale déjà fragile. Dès le 25 mars, le PSU critique dans son organe fédéral l'absence des communistes dans le comité de soutien [43], mais ce n'est qu'à la fin du conflit que les deux partis explicitent publiquement leurs divergences concernant la grève proprement dite et plus seulement son soutien. Le PCF et le PSU s'opposent principalement sur le caractère « régional » du conflit, et sur la portée politique qu'il convient d'accorder à cette dimension.

Tirant les conclusions de la grève, le PSU — sans négliger son

---

42. Non sans une certaine emphase d'ailleurs : « Rendez-vous compte que votre usine à l'entrée de la ville, avec les casques des gardes mobiles qu'on aperçoit à l'intérieur, ressemble de plus en plus au poste avancé de quelque conquérant impérialiste sur une piste africaine. » *Le Combat socialiste*, 629, 1er avril 1972.

43. *Le Combat socialiste*, 628, 25 mars 1972.

contenu « anticapitaliste » — insiste à nouveau sur son aspect
« anticolonial »[44] :

> QUI a remporté cette victoire ? Répondre à cette question,
> c'est donner également le POURQUOI et le COMMENT du succès.
> Derrière mille grévistes qui ont su tenir avec cran, toute une
> région, on pourrait dire un peuple, s'est exprimé dans la solida-
> rité. Les organisations ouvrières, syndicales ou politiques, n'ont
> pas eu la même attitude, et il est inutile de rappeler la prudence
> et l'inertie de tout ce qui est contrôlé ou influencé par le PCF.
> Mais c'est ceux qui dès le début ont fait du Joint un test et un
> symbole, celui de la décentralisation néo-colonialiste, qui ont
> été compris et suivis. Autant que celui de la CFDT et des comités
> de soutien, le SUCCÈS DU JOINT EST CELUI DES TRAVAILLEURS BRETONS.
> L'unité ouvriers-paysans a notamment été mise en évidence.
> Jamais la solidarité du monde agricole n'a été aussi manifeste.
> On peut dire même, comme nous l'imprimions il y a trois se-
> maines, que le Joint français a uni les Bretons.
> C'est bien L'ÉLARGISSEMENT RÉGIONAL de la lutte qui a été le
> facteur décisif. Le durcissement sur place par des actions spec-
> taculaires ne pouvait se justifier que s'il permettait et favorisait
> cet élargissement, car les deux choses ne sont pas contradic-
> toires, mais toute initiative susceptible de compromettre le ca-
> ractère massif du soutien aurait été néfaste. Ce raisonnement
> n'est peut-être pas valable pour tous les conflits de classe. Il l'est
> pour celui du Joint français, parce qu'il s'en prenait très préci-
> sément à L'ASPECT CENTRALISATEUR ET COLONISATEUR DU CAPITALISME :
> le dépérissement des zones périphériques.
> C'est pourquoi aussi cette lutte a été révolutionnaire. Dans
> l'immédiat, elle peut compromettre, diront certains, l'installation
> de nouvelles usines en Bretagne et ailleurs, étant donné le souci
> exclusif du profit qui anime les sociétés capitalistes. Mais elle met
> en cause les fondements mêmes du système. Si le capitalisme
> est incapable de répondre aux besoins des hommes, et si ceux-ci
> refusent de se laisser faire, c'est le capitalisme qui disparaîtra.

C'est précisément cette dimension coloniale que les responsables communistes locaux récusent[45] :

> « ENTREPRISE COLONIALE ? »
> On a aussi trouvé fréquemment les termes « d'entreprises
> coloniales », « salaires coloniaux », etc., qui vous ont — que ceux
> qui les emploient en soient ou non conscients — un certain relent
> d'autonomisme breton.
> Si l'on veut parler de colonisation économique, le terme s'ap-
> pliquerait certainement beaucoup mieux à la pénétration des

44. *Le Combat socialiste*, 635, 13 mai 1972 (éditorial).
45. *Bretagne nouvelle*, Nlle série, 1, 4 juin 1972 (éditorial du secrétaire de
la fédération des Côtes-du-Nord du PCF).

capitaux étrangers, particulièrement américains, dans l'économie française. Et au-dessous de quel chiffre un salaire pourrait-il être qualifié de « colonial » ?

Il ne faudrait pas oublier alors que l'on trouve, dans des proportions plus ou moins grandes, des salaires inférieurs à 1 000 F par mois dans toutes les régions de France, y compris dans la région parisienne.

Dans le même ordre d'idée, d'aucuns, qui répandaient autrefois des illusions sur la politique de « décentralisation » (qui s'est en fait limitée à l'implantation en Bretagne de quelques entreprises décentralisées), critiquent aujourd'hui la « manière » dont cette « décentralisation » s'est faite. Tout le mal vient, disent-ils, du fait que les directions de ces entreprises sont restées « parisiennes ». Certes, l'éloignement des centres de décision ne facilite pas les luttes ouvrières. Mais s'agissant de la CGE, peut-on parler de « direction parisienne » ?

Il s'agit en réalité d'un grand trust multinational dont les patrons ne sont certainement pas « plus près » (socialement tout au moins) de leurs salariés de la région parisienne que de leurs salariés bretons.

Et nous connaissons en Bretagne nombre d'entreprises dont les patrons sont autochtones et où, pourtant, là aussi, les salaires sont scandaleusement bas, les semaines de travail excessivement longues, les conditions de travail particulièrement difficiles et les libertés syndicales fort peu respectées.

À LA RECHERCHE DU PROFIT

En réalité, les patrons d'entreprises comme le « Joint français » sont — comme ceux de toutes les autres entreprises capitalistes — à la recherche du profit maximum. En venant en Bretagne, ils ont voulu profiter notamment d'une main-d'œuvre abondante et bon marché. Comme tous les autres capitalistes, ils maintiennent les salaires au niveau le plus bas possible et ne les augmentent que contraints et forcés par les luttes ouvrières.

La fameuse « décentralisation » ne pouvait se faire autrement dans le système des monopoles.

Il y a certes des disparités entre les salaires moyens de la région parisienne et ceux de la nôtre, et la lutte contre ces disparités est légitime. Mais cela n'empêche pas les travailleurs de la région parisienne d'avoir leurs problèmes, leurs difficultés et leurs revendications, également légitimes, découlant du régime en place et de sa politique.

Aussi faut-il combattre tout ce qui tend à obscurcir dans les esprits la nécessité de la solidarité de lutte entre les travailleurs bretons et ceux de la région parisienne.

En minimisant trop la dimension régionale du conflit, la fédération du PCF fait ressortir son contenu de classe mais elle risque de ne pas être entendue par une opinion publique locale largement mobilisée sur le thème de la « grève bretonne ». A l'inverse, si le PSU s'inscrit dans cette mobilisation, on voit mal comment il concilie la solidarité de « toute une région, un peuple » avec son affirmation du caractère de classe de cette solidarité. La confrontation et le débat entre ces deux analyses sont éclipsés par la polémique qui naît, entre le PC et la CGT d'une part, le PSU et la CFDT de l'autre, après le communiqué de la section CGT appelant à un compromis, et qui se développe à l'issue des incidents accompagnant le vote sur la reprise du travail.

Le conflit du Joint français occupe pendant plusieurs semaines le premier rang de l'actualité politique. Sur place, paradoxalement, aucun débat ne s'instaure sur l'articulation entre lutte syndicale, économique, et lutte politique, alors que ce problème est au cœur des divergences qui opposent d'un côté le PC et la CGT, de l'autre le PSU et la CFDT. La polémique qui se cristallise sur l'attitude à adopter à l'égard des gauchistes évite aux organisations syndicales et politiques d'en débattre au fond. Parmi les organisations gauchistes, seule la Ligue communiste tente d'ouvrir le débat, sans en avoir les moyens, faute d'une insertion suffisante dans le milieu ouvrier briochin [46].

46. Un meeting organisé après la grève, le 19 mai, par cette organisation en présence d'A. Krivine, sur le thème « L'offensive ouvrière et la stratégie de lutte de classe vers le socialisme », ne parvient à mobiliser ni les travailleurs du Joint ni la population de Saint-Brieuc.

LUTTE ÉCONOMIQUE ET LUTTE POLITIQUE
ESSAI DE BILAN

L'absence, dans les stratégies en présence, d'une articulation délibérée et explicite entre lutte économique et lutte politique n'implique pas forcément l'absence — dans les faits — de prolongements politiques à la lutte revendicative des travailleurs du Joint. Chacune des forces ayant joué un rôle dans l'animation de la grève ou du mouvement de soutien peut prétendre, une fois le conflit achevé, bénéficier d'un élargissement de son audience auprès de l'opinion, voire d'un développement de sa capacité militante.

Avant de s'interroger sur cette éventuelle « capitalisation » politique, il convient d'évaluer les conséquences de la lutte spécifiquement économique menée au Joint français, tant dans les résultats obtenus par les grévistes que dans l'effet d'entraînement produit par le conflit briochin sur le mouvement revendicatif régional.

Les résultats immédiats et l'effet d'entraînement

Dans l'entreprise, au moment de la reprise du travail après huit semaines de grève, l'issue du conflit est vécue par la quasi-totalité des grévistes comme une victoire dont le mérite revient essentiellement à la CFDT.

Par rapport aux revendications avancées au début du conflit (cf. *supra*, p. 30), le protocole d'accord signé à Saint-Brieuc le 6 mai 1972 prévoit tout d'abord une augmentation des salaires horaires en deux temps. Une première augmentation de 3,5 % avec un minimum de 0,45 F, dont 0,20 F à titre de rattrapage, prend effet rétroactivement à partir du 1er mai 1972. Une seconde augmentation de 3,5 % avec un minimum de 0,20 F est prévue à compter du 1er octobre 1972. Ces augmentations sont étendues aux salaires mensualisés. Les grévistes obtiennent ainsi une augmentation horaire minima de 0,65 F, légèrement en deçà des soixante-dix centimes réclamés.

La direction s'engage d'autre part à harmoniser au plus tard le 1er juillet 1975, en accord avec les syndicats, les salaires des établissements de Bezons et de Saint-Brieuc. Enfin, les grévistes ont en partie satisfaction sur la réduction de la durée hebdomadaire du travail, les primes de poste et de transport. En revanche, ils n'obtiennent pas le treizième mois demandé.

En s'engageant à associer les organisations syndicales dans l'examen des écarts de salaire entre les deux usines, la direction du Joint français admet la nécessité de supprimer la discrimination salariale existant entre Saint-Brieuc et Bezons, en même temps qu'elle reconnaît officiellement la représentativité des syndicats signataires. Le protocole, en prévoyant le rattrapage avec Bezons, satisfait virtuellement une des principales revendications des grévistes. Par ailleurs, la reconnaissance *de facto* — et non plus seulement *de jure* — du fait syndical ne peut manquer de modifier à l'avenir, dans un sens ou dans un autre, le climat social de l'entreprise.

Les incidences de la grève se limitent-elles au climat social du Joint français, ou s'étendent-elles plus largement au mouvement revendicatif régional ? La tactique expérimentée avec succès pendant la grève du Joint par l'union départementale CFDT exerce une influence immédiate sur les luttes sociales locales, comme en témoignent les grèves des établissements Big-Dutchman à Saint-

Tableau 17. Nombre de journées perdues pour fait de grève et pour 100 salariés en 1972

	Nombre de journées perdues en 1972	Effectifs salariés au 31-12-1971 (milliers)	Nombre de journées perdues pour 100 salariés
Alsace	234 043	385,1	61
Provence-Côte d'Azur	383 014	701,7	55
Limousin	60 038	119,9	50
Rhône-Alpes	603 173	1 241,1	49
Pays de la Loire	238 052	531,2	45
Champagne-Ardennes	122 126	304,5	40
Bretagne	*145 159*	*370,7*	*39*
Auvergne	93 737	253,7	37
Franche-Comté	81 937	261,7	31
Poitou-Charentes	667 236	238,4	28
Nord	219 435	883,8	25
Picardie	82 871	355,8	23
Basse-Normandie	52 291	225,0	23
Midi-Pyrénées	81 345	360,8	23
Languedoc-Roussillon	56 157	246,7	23
Bourgogne	67 972	311,4	22
Haute-Normandie	80 119	406,2	20
Centre	84 821	433,5	20
Aquitaine	82 583	440,5	19
Lorraine	100 040	554,2	18
Région parisienne	305 811	3 533,8	9
Corse	280	17,2	2
France entière	3 242 240	12 177,1	27

Source : *Notes du Ministère du travail, de l'emploi et de la population*, 16, 7-13 mai 1973 p. 3.

Carreuc et des Kaolins à Plémet. Le déroulement de ces deux grèves reproduit très exactement celui du Joint français : refus de négocier de directions intransigeantes, durcissement et prolongement des conflits, multiplication des comités de soutien locaux, animation des mouvements par l'UD-CFDT, réserves de la CGT, etc. Mais les faibles effectifs de ces deux entreprises, et leur isolement géographique [47] limitent la portée de ces grèves. En fait, au niveau global de la Bretagne, l'effet d'entraînement du conflit briochin reste limité.

Malgré l'exceptionnelle durée du conflit briochin, la Bretagne ne figure qu'au septième rang des circonscriptions d'action régionale pour ce qui concerne le nombre de journées perdues pour cent salariés en 1972. Si l'on excepte celles perdues avec la grève du Joint, la Bretagne régresse au douzième rang, avec un taux inférieur à celui de la moyenne nationale. Ces observations ne valent toutefois que pour les conflits accompagnés d'arrêts de travail. Il semble que, dans un certain nombre de petites et moyennes entreprises, des cahiers de revendications établis dans la mouvance du conflit du Joint obtiennent des réponses favorables de la part de directions soucieuses d'éviter que l'exemple du Joint ne se reproduise dans leur établissement.

La modification du rapport des forces dans l'entreprise

Cette modification se manifeste à travers l'évolution du rapport des forces syndicales. Elle se concrétise par la capacité des différentes forces politiques à s'implanter dans l'entreprise.

Les élections au comité d'établissement et celles des délégués du personnel qui ont lieu en octobre 1972 confirment la position déjà majoritaire de la CFDT au Joint : aux élections au comité d'établissement d'octobre 1972, sur 802 inscrits, 711 votants et 658 suffrages exprimés, la CFDT obtient 405 voix et 4 sièges (dont 1 suppléant), la CGT, 249 voix et 3 sièges (dont 1 suppléant). Aux élections des délégués du personnel de 1971, sur 742 inscrits, 640 votants et 571 suffrages exprimés, la CFDT obtient 290 voix et 3 sièges, la CGT, 263 voix et 3 sièges. Aux élections des délégués de 1972, sur 799 inscrits, 720 votants et 646 suffrages exprimés, la CFDT obtient 355 voix et 3 sièges, la CGT, 255 voix et 3 sièges.

Même si les élections des délégués du personnel d'octobre 1972 ne permettent pas à la CFDT de modifier l'équilibre de la répartition des sièges en sa faveur, les résultats du vote font état d'un recul de la CGT par rapport aux élections de 1971, d'autant plus sensible que le nombre des inscrits s'est accru entre les deux élections. Pourtant, aux élections suivantes d'octobre 1973, la CGT regagne largement les voix perdues et talonne une CFDT qu'aban-

---

47. Elles sont toutes deux implantées dans un milieu rural.

donne une partie de ses électeurs de l'année précédente : sur 733 votants et 670 suffrages exprimés, la CFDT obtient 327 voix et la CGT, 315.

Comment expliquer ce renversement d'une tendance favorable, un an plus tôt, à la CFDT ? Dès la rentrée de 1972, les syndicats se trouvent confrontés à un changement de direction de l'usine de Saint-Brieuc. Doté de pouvoirs plus importants que son prédécesseur, plus habile aussi, le nouveau directeur développe une politique de séduction et de dialogue tout en encourageant les divisions syndicales. Face à ce changement et à ses répercussions sur les relations professionnelles dans l'entreprise, les militants des sections CGT et CFDT sont inégalement préparés.

A la CFDT, la tentation est grande, pour les militants les plus anciens, de se reposer sur le crédit recueilli pendant la grève. Les autres qui, plus récents dans l'organisation et ayant pris leurs premières responsabilités syndicales pendant le conflit, seraient plus combatifs, ne participent pas directement à la direction de la section. A la CGT, traditionnellement plus revendicative, le handicap consécutif aux positions de l'union départementale pendant la grève, incite encore la section à prendre l'initiative de l'offensive.

A ces différences circonstancielles s'ajoute une divergence de fond, liée aux conceptions et aux pratiques syndicales respectives des deux confédérations. Naturellement hostile à l'existence d'une avant-garde, la CFDT organise après le conflit un week-end de formation ouvert à tous, sans cadre de travail rigoureusement établi. Suivi par une quarantaine d'adhérents, ce stage s'apparente davantage à une réunion commémorative qu'à la formation idéologique d'un encadrement militant. Ne partageant pas ces scrupules « basistes » et d'abord soucieuse d'efficacité, la CGT réunit moins d'une dizaine de syndiqués pendant une semaine, dans le cadre d'un stage de formation organisé selon un schéma type établi par la confédération.

Ces données expliquent, dès octobre 1972, à l'occasion de la campagne pour les élections au comité d'établissement et contrairement à ce que l'on a pu observer pendant la grève, qu'on se trouve devant une section syndicale cégétiste plus revendicative que la section CFDT :

SECTION SYNDICALE CFDT DU JOINT FRANÇAIS

A TOUT LE PERSONNEL

Camarades,
Demain auront lieu comme prévu les élections du comité d'établissement. Dans un premier tract nous avons fait connaître notre liste de candidats.

La CFDT croit indispensable de rappeler dans une nouvelle information le rôle important du comité d'établissement, afin que chacun sache l'importance de ces élections.

LES ÉLUS DU COMITÉ AURONT A PROMOUVOIR DE NOMBREUSES RÉALISATIONS SOCIALES ET A LES PRÉVOIR DANS LE SENS DES INTÉRÊTS DU PERSONNEL.

Le comité d'établissement a en effet pour mission d'utiliser au mieux le budget d'action sociale; plusieurs activités sont déjà connues (arbre de Noël, aide aux familles, colonies de vacances, sports, loisirs, culture, restaurant d'entreprise.)

Pour les élus CFDT, il ne suffira pas de renouveler ce qui a été fait dans le passé mais de mener, en liaison avec les travailleurs de l'entreprise et de la section syndicale CFDT, une action revendicative permettant d'augmenter la capacité budgétaire du CE.

L'ACTION SYNDICALE DOIT PRENDRE EN COMPTE TOUTES LES ASPIRATIONS DES TRAVAILLEURS

C'est dans ce sens que la CFDT conçoit l'utilisation des institutions d'entreprise : CE - DP - CHS, etc.

C'est par ces organismes et en étant en mesure de mobiliser le plus solidement possible les travailleurs dans l'action syndicale que nous parviendrons TOUS ENSEMBLE A AMÉLIORER NOS CONDITIONS DE VIE ET DE TRAVAIL.

LA TACHE DES ÉLUS EST IMMENSE.

Ils doivent connaître les aspirations de toutes et de tous. Pour cela, la section CFDT, grâce à son fonctionnement démocratique, doit permettre au personnel de s'exprimer.

Nous n'avons pas dit à la fin de la longue grève qui nous a été imposée par l'intransigeance patronale QUE C'ÉTAIT UN DROIT DE S'EXPRIMER MAIS AUSSI ET SURTOUT UN DEVOIR.

S'EXPRIMER — C'est déjà agir
— C'est éviter l'isolement des responsables et des élus
— C'est accroître leurs moyens et leur capacité d'intervention.

POUR BÉNÉFICIER DE LA CONFIANCE DU PERSONNEL

Il ne faut pas lui demander un mandat en blanc.

Il faut le consulter en cours de mandat.

Il faut être en mesure à tout instant de connaître les problèmes qui se posent. Ceci n'est possible que grâce à une bonne organisation.

LA CFDT VEUT ÊTRE UN MOYEN EFFICACE DE PRESSION

Elle veut maintenir l'esprit de solidarité qu'une lutte très dure pendant huit semaines a soudé parmi nous.

IL FAUT VOTER POUR LES CANDIDATS DE LA CFDT TITULAIRES ET SUPPLÉANTS LISTE ENTIÈRE

ATTENTION : les bulletins raturés sont nuls
le panachage est interdit   FAITES ATTENTION

LE PATRONAT DU JOINT FRANÇAIS JUGERA LE RÉSULTAT DES ÉLECTIONS. VOTRE DIRECTION GÉNÉRALE DOIT AVOIR LA DÉMONSTRATION QUE VOUS RESTEZ TOUTES ET TOUS UNIS PLUS QUE JAMAIS.

POUR MONTRER VOTRE ESPRIT DE SOLIDARITÉ INÉBRANLABLE
VOTEZ EN MASSE
VOTEZ LISTE ENTIÈRE
VOTEZ CFDT

La section CFDT
Le 11 octobre 1972

CGT

SYNDICAT DU JOINT FRANÇAIS
SAINT-BRIEUC

Chers camarades,

Le 12 octobre, chaque travailleur va être appelé à prendre ses responsabilités dans les élections au comité d'entreprise.

Chacun doit comprendre l'importance de ce vote qui va permettre *d'élire pour deux ans* ses responsables.

Est-il besoin de rappeler l'importance du comité d'entreprise ?
— Gestion des fonds,
— Service social (cantine, aide aux vacances, secours de différentes natures, sports et loisirs...)
— Formation professionnelle, etc.

Chacun a pu apprécier *le dévouement et l'attitude responsable de la section syndicale CGT du Joint français* pendant les actions que nous avons menées ensemble.

Sa préoccupation constante a été, et reste, *la seule défense des intérêts de tous les travailleurs sans distinction, et sans* « esprit de boutique ».

C'est en partant de cette préoccupation et persuadée de traduire les revendications de l'ensemble des travailleurs que la section syndicale CGT vous propose ce programme :

1 - Augmentation de *la prime de fin d'année* pour obtenir un 13ᵉ mois intégral.

2 - *Formation professionnelle :* les femmes disposeront de droits égaux à ceux des hommes en matière de formation professionnelle.

3 - *Développement des activités de service social* dans tous les domaines au sein de l'entreprise :
— *Colonies de vacances* pour les enfants de tout le personnel, sans exception, avec faible participation financière des familles.
— Création du *restaurant d'entreprise,* en projet depuis des années et *subvention patronale pour repas de cantine* (nos camarade de Bezons l'ont depuis de nombreuses années).

4 - Création d'une commission de contrôle qui aurait droit de regard tous les 3 mois sur les activités et la trésorerie du CE.

Les candidats présentés par la section syndicale CGT sont bien connus de tous pour leur dévouement parfois discret mais efficace.

Ils s'engagent à défendre ces propositions ci-dessus et toutes les propositions qui leur seront faites par les travailleurs.

VOTER POUR LES CANDIDATS DE LA CGT C'EST VOTER POUR L'ACTION PERSÉVÉRANTE ET CONTINUE MENÉE AVEC ESPRIT DE RESPONSABILITÉ.

VOTEZ EN MASSE POUR LES LISTES ENTIÈRES CGT

Nos candidats élus et le syndicat CGT tout entier s'engagent à rechercher en permanence l'unité syndicale qui est la garantie de nos succès.

La section syndicale CGT
du JOINT FRANÇAIS

Tract diffusé par la CGT à la veille du scrutin, aux élections du CE en octobre 1972.

La démobilisation en fin de conflit des responsables de la section CFDT du Joint témoigne d'un « apolitisme » qu'explique en partie l'absence de prise en charge de la dimension politique du conflit par les différentes structures CFDT [48]. Cette carence dans la formation politique laisse démunis certains responsables cédétistes, face à la politique d'intégration de la nouvelle direction de l'établissement :

> « La grève de mai 1972 a changé... à l'heure actuelle on sent qu'elle porte ses fruits... l'administration a été obligée de remanier ses objectifs en ce qui concerne Saint-Brieuc...
> Un net changement en ce qui concerne les discussions : on a un interlocuteur en face, on discute avec fermeté réciproque, on s'attaque aux problèmes en voulant en venir à bout. Sur le plan des salaires, un effort maximum a été fait, même s'il n'y a pas totale satisfaction. Sur le plan du travail aussi... on cherche à augmenter la productivité sans pour autant taper sur l'effet cadentiel ou chercher le matraquage de surcharge. Du point de vue social... pas de doute, un effort maximum a été fait tendant à pousser les effets sociaux... Encore une fois, budgétairement tous les efforts ont été faits, je ne dis même pas dans la mesure du possible, il a été anticipé bien souvent pour y aller. Sur un plan beaucoup plus vaste, on peut dire que l'usine de Saint-Brieuc va vers son autonomie... le mot est peut-être un petit peu avancé en ce moment, mais il y a des points précurseurs qui veulent dire que St-Brieuc sera autonome... Dans les discussions, il y a autonomie en ce qui concerne St-Brieuc... est-ce que c'est le privilège d'un directeur — M. Lépine — ... je ne le pense pas... le conflit a voulu cela, nous sommes maintenant dans les reflets des débats et des conversations engagées au moment du conflit... »
>
> (Entretien avec le secrétaire CFDT du comité d'établissement, après le conflit.)

En même temps qu'elle nuit à la capacité revendicative de la section CFDT, cette absence de discernement dans les objectifs de la politique patronale entraîne les responsables cédétistes dans un incident qui, un an après la fin de la grève, ébranle le crédit du syndicat du Joint.

Le 8 juin 1973, à l'occasion d'une réunion extraordinaire du comité d'établissement, les trois élus titulaires de la CFDT votent avec le délégué CGC à la demande de la direction, le licenciement d'un délégué CGT [49]. Les désaveux publics et immédiats de l'union départementale et de la section CFDT ne sauraient faire oublier que les élus désavoués faisaient partie tous les trois, pendant la grève de 1972, de la délégation CFDT dans les négociations avec la direction au Ministère du travail et à la préfecture de Saint-Brieuc. Après un mouvement de plus de huit semaines et d'une portée nationale, ce comportement de trois militants, pourtant engagés au cœur de l'événement pendant le conflit, confirme la carence des structures syndicales CFDT devant la

---

48. Ni l'union départementale, ni la Fédération unifiée de la chimie, ni le secteur politique confédéral n'interviennent pour tenter une analyse politique de la grève.

49. Celui-ci, touché par la réorganisation des ateliers entreprise par la nouvelle direction, avait refusé des propositions de mutation qu'il jugeait incompatibles avec la disponibilité nécessaire à ses activités de délégué du personnel.

capitalisation politique et syndicale de la grève. Elle explique aussi la remontée de la section CGT qui, dénonçant « les larbins de la direction engagés dans la voie de la collaboration de classe »[50], se trouve maintenant dans une situation qui lui est plus favorable qu'elle ne l'était à la veille du conflit de 1972.

Au niveau des forces politiques, le PSU, la Ligue communiste et les maoïstes, inexistants en tant que groupes organisés au Joint lorsque le conflit se déclenche[51], ne tirent pas avantage de leur rôle dans le soutien pour changer cet état de fait. Aucun d'entre eux ne parvient à se constituer en groupe ou section organisés dans l'usine.

Le Parti communiste est la seule organisation politique qui tire profit de la grève briochine. A l'atout que constitue l'attraction nouvelle de l'accord national réalisé avec le Parti socialiste[52], s'ajoute pour le PCF la capacité militante d'un parti déjà bien implanté à Saint-Brieuc, qui entretient par ailleurs des rapports privilégiés avec la CGT au niveau départemental et national.

Dans un premier temps, la session syndicale organisée par la fédération CGT des industries chimiques permet un début de formation politique des responsables cégétistes de la section du Joint (cf. *supra*, p. 133). La fête annuelle de la fédération communiste des Côtes-du-Nord est ensuite l'occasion de contacts entre les militants passés par cette session et les responsables locaux de la CGT et du PCF. C'est à l'issue de ces contacts que le PCF recrute quelques adhérents parmi les militants cégétistes du Joint[53]. Leur constitution en cellule s'officialise par le premier numéro de son bulletin, *La bonne voie*, en octobre 1972. Le programme commun de gouvernement de la gauche fournit désormais au PCF un projet politique précis sur lequel il estime pouvoir articuler le soutien aux luttes sociales :

PARTI COMMUNISTE FRANÇAIS
Bulletin

LA BONNE VOIE
Edité par la cellule du Joint français   Octobre 1972

Deux naissances : la cellule et son journal
La dure, la longue et courageuse lutte des ouvriers de l'usine du Joint français a amené beaucoup d'entre eux à se poser des

---

50. Tract de la section CGT du Joint.
51. Que ce soit de manière clandestine ou officielle.
52. Signature du programme commun de gouvernement de la gauche le 26 juin 1972.
53. « J'allais tous les ans à la fête de l'*Aube nouvelle* et je connaissais très bien le conseiller général qui est Monsieur Quemper... et j'avais des camarades là qui sont syndicalistes aussi... et il y avait des gens de l'union départementale qui sont venus me proposer une adhésion ... » (Entretien avec une responsable de la section CGT du Joint après la grève).

questions sur l'exploitation capitaliste et sur les moyens d'y mettre fin.

L'expérience de leur combat récent et la réflexion ont amené quatre de ces ouvriers à donner leur adhésion au Parti communiste français lors de la fête de l'Aube nouvelle. D'autres sont venus depuis les rejoindre.

Ces nouveaux adhérents se sont réunis fin juillet avant leur départ en vacances et ont pris la décision de créer une cellule communiste dans l'entreprise et d'éditer un journal.

A l'usine Le Joint français la cellule va désormais travailler afin de contribuer à « changer la vie » pour « vivre mieux ».

Où en sommes-nous après 14 ans de règne du pouvoir actuel ?

Ce régime du pouvoir personnel qui s'appuie sur une majorité écrasante de l'Assemblée nationale règne sans partage sur le pays.

Sa politique rend l'existence difficile à des millions d'hommes et de femmes. Les travailleurs du « Joint français » en savent quelque chose.

Les salaires sont insuffisants ; près de 6 millions de salariés gagnent moins de 100 000 AF par mois.

Les prix continuent à monter à une allure record. Les augmentations de salaires obtenues au « Joint français » sont déjà remises en cause par toutes ces hausses.

Les impôts ne cessent d'augmenter et écrasent les petits budgets.

Plus de la moitié des salariés n'a pu partir en vacances.

Des centaines de milliers de personnes âgées vivent dans un dénuement dramatique.

Le nombre des chômeurs a doublé.

Des dizaines de milliers de jeunes sont contraints chaque année de quitter l'école sans qualification professionnelle. A la dernière rentrée scolaire, rien que pour le département des Côtes-du-Nord, 800 jeunes n'ont pu rentrer dans les CET faute de place, et beaucoup vont devenir chômeurs avant d'avoir pu apprendre un métier et commencer à travailler.

C'est cela sans doute le bel avenir promis à notre peuple il y a 14 ans par le pouvoir actuel.

Pendant ce temps, les hommes du grand capital, les barons de l'industrie et de la finance vivent dans un luxe insolent.

Cette politique, si elle oblige les travailleurs à se serrer la ceinture, permet par contre, pour ne citer que deux exemples, à des hommes comme M. Debarge, grand patron de l'industrie pharmaceutique, de dépenser 100 millions d'anciens francs lors de son mariage, et à M. Dassault d'offrir une soirée à quelques intimes pour la bagatelle de 70 millions d'AF.

Il faut que cela change !

Un grand espoir

Le 26 juin un grand espoir s'est levé sur la France avec l'adoption par le Parti communiste français, le Parti socialiste et les radicaux de gauche, d'un programme commun de gouvernement.

Ce programme définit avec précision les objectifs sociaux qu'il réalisera.

Il place en tête la tâche primordiale : faire en sorte que les Français vivent mieux, que tous aient une existence décente et soient protégés de l'incertitude du lendemain, à commencer par les plus démunis.

....

Un tel programme est réalisable à la condition de s'en donner les moyens et par exemple :
— de soustraire l'économie du pays des mains d'une minorité de privilégiés par la nationalisation de tout le secteur financier et des grands monopoles comme la CGE dont dépend le Joint français ;
— de réduire les dépenses militaires ;
— d'imposer davantage les grosses fortunes et le grand capital, etc.

Depuis son élaboration, le programme commun a déjà reçu de nombreux témoignages de soutien.

Un certain nombre d'organisations, telles que la CGT, l'ont approuvé et ont décidé de lutter pour son application.

La CFDT a pour sa part exprimé des réserves. Il est pourtant souhaitable qu'elle soutienne le programme commun car il prévoit la satisfaction progressive des revendications essentielles des travailleurs et des dispositions qui leur permettront de participer réellement à la gestion de leur entreprise.

Il est regrettable que le PSU refuse d'apporter son soutien au programme commun qui représente pourtant la seule chance d'un changement politique.

Nous vous invitons à soutenir ce programme qui est le vôtre, qui a été fait pour les travailleurs. Son application dépendra du soutien que lui apporteront les différentes catégories de travailleurs.

Nous vous invitons à le lire, à l'étudier car nous n'avons fait ici que l'effleurer.

Il a été édité en livre de poche de près de 200 pages et est en vente au siège du Parti communiste pour le prix de 5 F.

....

J'ADHÈRE AU PARTI COMMUNISTE FRANÇAIS

Nom :   Prénom :

Age :   Profession :

Lieu de travail :   Signature :

Remettez ce bulletin à un communiste de votre connaissance ou adressez-vous au siège de la fédération, 8, rue Saint-Pierre, Saint-Brieuc.

Dans l'entreprise, si l'on tient compte du seul critère de l'implantation organisée, le PCF est l'unique force politique qui tire un profit direct et immédiat de son engagement dans le conflit du Joint français. Toutefois, la brièveté de la période pendant laquelle on peut appréhender une éventuelle « capitalisation » politique du rôle joué par les organisations engagées dans la grève, constitue un handicap certain. L'hypothèse d'une transformation rapide et profonde des mentalités et des comportements politiques provoquée par un conflit même aussi « dur » que celui du Joint, relève d'une vision trop mécaniste de l'interaction entre le politique et le social.

A l'extérieur de l'entreprise, si la grève briochine participe avec d'autres événements à une évolution dans le sens d'un ajustement des comportements économiques et politiques, cette évolution reste encore difficile à apprécier[54]. L'ampleur de la solidarité manifestée dans les Côtes-du-Nord est liée, pour une part importante, à la géographie de l'implantation des partis de gauche au moment de la grève. Dans quelle mesure ces derniers parviennent-ils, une fois le conflit achevé, à renforcer leur audience dans les zones qui leur sont déjà acquises, et à la développer dans le reste du département en capitalisant politiquement la mobilisation provoquée par eux-mêmes et les autres organisations, à l'occasion du soutien ? L'analyse des résultats des élections législatives de mars 1973 dans les Côtes-du-Nord, fournit un élément de réponse à cette interrogation[55].

Les prolongements électoraux dans les Côtes-du-Nord en 1973

Si le critère électoral constitue une approche possible du problème de la capitalisation politique[56], il convient cependant d'en apprécier les limites.

Instant privilégié de la vie politique, les élections de mars 1973 sont l'occasion d'un affrontement au niveau local entre la plupart des forces qui ont organisé le soutien à la grève du Joint, exception faite d'une fraction des éléments gauchistes qui se tiennent à l'écart de la compétition électorale. Cet affrontement local s'organise pour une part en fonction d'enjeux nationaux qui pèsent au même titre que les récents événements sociaux dans la détermination des comportements des électeurs des Côtes-du-Nord. L'un d'entre eux modifie les données de la vie politique locale par rapport à la situation de mai 1972 : la bipolarisation du jeu politique, sanctionnée par la conclusion de l'accord national sur

54. L'analyse reste de plus dépendante du type de données et des méthodes d'exploration dont on peut disposer. Seules des méthodes d'investigation au niveau individuel (interviews des grévistes et des personnes ayant participé au mouvement de soutien ; questionnaire administré auprès d'un échantillon représentatif de cette population), permettraient d'apprécier le contenu et la forme d'une éventuelle prise de conscience d'un lien entre le soutien financier ou la participation directe à la lutte économique, et le comportement politique.

55. Le référendum d'avril 1972, intervenu pendant le conflit, ne fera pas l'objet d'une analyse. La nature de la consultation, la faiblesse de la campagne électorale des partis politiques dans les Côtes-du-Nord comme dans le reste de la France, et plus particulièrement l'absence de liaison sérieuse faite entre le conflit local et le problème européen posé par le référendum, conduisent à centrer cette étude sur les scrutins législatifs antérieurs et postérieurs à la grève, plus propices à une analyse des rapports de forces partisans.

56. Lénine lui-même ne souligne-t-il pas l'intérêt de l'étude des élections comme instrument d'analyse politique : « Le suffrage universel atteste le degré de maturité des diverses classes dans la compréhension de leurs tâches respectives. Il montre comment les diverses classes sont disposées à s'acquitter de leurs tâches. ... » *Lénine, les élections à l'Assemblée constituante et la dictature du prolétariat*, Œuvres complètes, Paris-Moscou, 1964, tome 30, p. 277.

un programme de gouvernement entre le PCF, le PS et les radicaux de gauche. Les Côtes-du-Nord vivent, pour la première fois en mars 1973 dans l'ensemble du département [57], cette clarification du jeu politique.

Concrètement, cette situation nouvelle s'exprime d'abord par le ralliement à la majorité des anciens notables de la droite d'opposition [58]. Elle se manifeste ensuite par le renforcement de la rivalité locale entre un PCF, réservé dans son soutien aux récentes luttes sociales, mais auquel le programme commun de la gauche fournit désormais un projet politique précis, et un PSU qui, pour avoir joué un rôle de premier plan dans les luttes économiques locales, n'en demeure pas moins à l'écart de l'union de la gauche, sans projet politique crédible à présenter à ses électeurs.

Cette pesanteur accrue du jeu politique national sur le contexte local complique encore l'appréciation de l'influence spécifique des récents conflits sociaux sur la détermination des comportements électoraux en mars dernier.

La mesure de l'incidence électorale [59] des luttes syndicales récentes conduit à une double interrogation :
— Les Côtes-du-Nord connaissent-elles en mars 1973 un accroissement du nombre des voix de gauche d'une ampleur qui dépasse le mouvement général observé au niveau de l'ensemble national et régional ?
— Si un tel mouvement existe, est-il possible d'établir des relations de dépendance entre sa localisation géographique et celle des récents conflits d'une part, entre sa ventilation parmi les différents partis de la gauche et la part prise par ces derniers dans les luttes économiques, d'autre part ?

Les résultats du premier tour de la consultation de mars 1973 n'entraînent pas en Bretagne le renversement — attendu ou redouté — de l'équilibre des forces antérieurement établi en faveur de la droite [60].

Néanmoins la progression des forces de gauche est réelle aux élections de mars 1973. Plus forts que dans l'ensemble national, que l'on se réfère aux élections de 1968 (indice d'évolution relative de 110) ou même aux élections de 1967 (indice d'évolution relative de 109), les gains de la gauche en Bretagne aux dernières élec-

57. Cette bipolarisation s'est déjà manifestée à Saint-Brieuc à l'occasion des élections municipales de mars 1971, où pour la première fois les listes en présence s'affrontent dans un combat gauche/droite.
58. P. Ollivro à Guingamp, P. Bourdelles à Lannion, R. Pleven à Dinan, élus sous l'étiquette PDM en 1968 se présentent tous sous l'étiquette URP-CDP en 1973.
59. L'analyse électorale est menée à l'aide de l'examen de bilans statistiques qui ne permettent de saisir et de mesurer que le produit apparent des mouvements de sens contraire qui affectent l'ensemble des électorats à un tour de scrutin donné.
60. Avec la Basse-Normandie, les Pays de la Loire, la Franche-Comté et l'Alsace, la Bretagne demeure une des cinq régions de France qui accorde proportionnellement le plus de suffrages aux candidats de la majorité (plus de 36 % des inscrits).

Tableau 18. L'évolution de la gauche en Bretagne de 1967 à 1973 *

Elections législatives	% des voix de gauche en Bretagne	% des voix de gauche en France	Indice d'originalité Bretagne/France (a)
1967	25,8	34,6	75
1968	23,9	32,5	74
1973	30,0	37,2	81

Indice d'évolution de la Bretagne (b) :
— 1973 par rapport à 1968 : 125
— 1973 par rapport à 1967 : 118
Indice d'évolution relative de la Bretagne par rapport à la France (c) :
— 1973 par rapport à 1968 : 110
— 1973 par rapport à 1967 : 109

* Les pourcentages sont calculés par rapport aux inscrits.
(a) L'indice d'originalité exprime le rapport entre le score de la gauche en Bretagne et le score national de la gauche au même tour de scrutin. La valeur 100 de l'indice exprime l'identité des deux scores.
(b) L'indice d'évolution exprime le rapport entre le score de la gauche en Bretagne en 1973 et le score de la gauche à l'élection de référence. La valeur 100 de l'indice exprime la stabilité des deux scores.
(c) L'indice d'évolution relative exprime le rapport entre le score de la gauche en Bretagne et au niveau national à un même tour de scrutin. La valeur 100 de l'indice exprime l'identité des deux scores.

tions contribuent à resserrer l'écart qui sépare le niveau de la gauche bretonne de celui de la moyenne nationale (indice d'originalité de 81 en 1973, contre 74 et 75 en 1968 et 1967).

Si « le malaise breton » n'a pas détruit l'équilibre des forces établi en faveur de la droite, il est possible que la sensibilisation d'une partie de l'opinion bretonne aux grèves régionales explique l'importance de la poussée de la gauche en Bretagne en mars 1973. Les Côtes-du-Nord, marquées par trois conflits d'une exceptionnelle durée [61], participent-elles — et dans quelle proportion — à ce mouvement régional ?

Des cinq députés sortants se réclamant de la majorité en 1973, deux sont battus au second tour de la consultation par des candidats de la gauche non communiste. Mais la victoire de C. Josselin (PS) sur le Garde des Sceaux à Dinan, comme celle d'Y. Le Foll (PSU) sur A. Charles à Saint-Brieuc, traduisent-elles pour autant de véritables bouleversements ? Le passage de deux sièges à la gauche, à moins de cinquante voix de majorité dans les deux cas, ne peut faire oublier la réélection dès le premier tour de scrutin d'un autre membre du gouvernement — M.-M. Dienesch — à Loudéac, et au second tour des deux députés sortants CDP de Lannion et Guingamp.

La poussée de la gauche dans les Côtes-du-Nord en 1973 présente deux caractéristiques. Elle s'inscrit tout d'abord dans un

61. Le Joint français, Big-Dutchman, les Kaolins.

Tableau 19. L'évolution de la gauche dans les Côtes-du-Nord de 1967 à 1973 *

Elections législatives	% des voix de gauche dans les Côtes-du-Nord	Indice d'originalité C.-du-N./Bretagne	Indice d'originalité C.-du-N./France
1967	33,2	135	96
1968	34,7	145	108
1973	41,0	129	110

Indice d'évolution de la gauche dans les Côtes-du-Nord :
    1973 par rapport à 1968 : 118
    1973 par rapport à 1967 : 123

Indice d'évolution relative des Côtes-du-Nord par rapport à la Bretagne :
    1973 par rapport à 1968 : 94
    1973 par rapport à 1967 : 104

Indice d'évolution relative des Côtes-du-Nord par rapport à la France :
    1973 par rapport à 1968 : 103
    1973 par rapport à 1967 : 114

* Les pourcentages sont calculés par rapport aux inscrits.

mouvement continu, amorcé en 1968 sur lequel la tendance nationale et régionale à la baisse de 1968 est restée sans effet. Les résultats de 1973 confirment la force et la vitalité de la gauche locale qui ont sans nul doute constitué des conditions favorables à la popularisation des récents conflits sociaux [62].

Si elle contribue à maintenir une situation largement privilégiée, la progression de la gauche dans les Côtes-du-Nord ne constitue plus un phénomène aussi original qu'aux élections précédentes par rapport à l'ensemble breton. Mesurée par rapport à 1967, cette progression n'est plus que très légèrement supérieure au mouvement que connaît dans le même temps la gauche bretonne. La popularisation des luttes économiques récentes ne s'accompagne pas, dans les Côtes-du-Nord, d'une poussée des forces de gauche plus nette que dans l'ensemble de la province. Elle peut toutefois avoir participé à une redistribution des suffrages de la gauche entre les diverses formations qui la composent.

Trois courants politiques pouvaient éventuellement bénéficier de l'expression du récent malaise social : les mouvements autonomistes, en profitant de la sensibilisation de l'opinion bretonne aux conflits, la Ligue communiste, principal groupement « gauchiste » à intervenir activement dans les comités de soutien, enfin les partis de la gauche traditionnelle — PCF, PSU et PS — tous présents à divers degrés dans l'organisation de la solidarité.

Il paraît d'abord évident que ni le Joint français, « première

62. L'analyse de la solidarité financière a mis en évidence les liens qui unissent en règle générale les cantons où le soutien aux grévistes du Joint a été le plus fort et les cantons de forte implantation des partis de gauche au moment du conflit (cf. *supra*, p. 99-103).

grève nationale bretonne », ni les autres conflits n'ont donné un élan électoral au mouvement autonomiste breton[63]. L'UDB, principale formation politique bretonne de gauche, s'exclut de la compétition électorale dans les Côtes-du-Nord, seul département breton où elle ne présente aucun candidat. Son absence n'est sans doute pas sans relation avec les conflits internes nés dans les sections des Côtes-du-Nord à la suite de la grève du Joint (cf. *supra*, p. 90).

L'extrême-gauche trotskyste qui — à la différence des mouvements bretons — a joué un rôle non négligeable dans la popularisation des luttes, ne recueille pas plus de suffrages dans les Côtes-du-Nord que dans les autres départements où elle dispose de candidats. Présente dans une circonscription où ses militants ont été particulièrement actifs au sein des comités de soutien, la Ligue recueille moins de 0,5 % de suffrages par rapport aux inscrits dans la circonscription de Saint-Brieuc où la répartition étale du score de son candidat ne met en évidence aucune zone de force particulière, renforçant encore l'impression d'échec de la formation trotskyste. Dans la circonscription de Lannion, bien que faible, le score établi par le candidat trotskyste (LO) appelle une appréciation plus nuancée. En effet le candidat double le nombre des suffrages obtenus par A. Krivine à l'élection présidentielle de 1969, sans toutefois affecter l'équilibre des structures électorales dans la circonscription.

Que l'on fasse l'hypothèse que les électeurs sensibilisés au malaise social n'aient pas voulu « gaspiller » leur voix sur des formations marginales, ou que l'on préfère celle d'une incapacité de l'extrême-gauche et des autonomistes à prendre en charge les mécontentements bretons, il n'en reste pas moins qu'au regard des résultats du premier tour de la consultation de 1973, seuls les partis de la gauche traditionnelle progressent dans les Côtes-du-Nord. Cette progression est loin d'être étale géographiquement et se répartit inégalement entre les différentes formations de la gauche, comme le montre le tableau ci-dessous.

Au niveau des mouvements apparents de voix, la progression semble résulter d'une translation générale des électorats, dont seule la circonscription de Loudéac se tient à l'écart. A Dinan et à Lannion, où la progression de la gauche est la plus forte, c'est l'UGSD qui profite de l'éclatement de l'électorat conservateur provoqué par le ralliement des notables sortants à la majorité. En revanche, à Guingamp, où P. Ollivro paraît mieux suivi par

---

63. Le SAV, mouvement autonomiste conservateur, est le seul à présenter trois candidats dans le département. Bien qu'il appelle à voter F. Mitterrand dès le premier tour de l'élection présidentielle de 1974, Strollad ar Vro renoue sans beaucoup innover avec le mouvement breton nationaliste d'avant-guerre, tant par son absence d'orientation politique claire que par les milieux sociaux où il recrute principalement ses adhérents. L'électorat du SAV ne dépasse pas en 1973 les dimensions d'un électorat résiduel, recueillant un maximum de 2,6 % de suffrages par rapport aux inscrits dans la circonscription de Saint-Brieuc.

Tableau 20. Progression des grandes tendances politiques dans les circonscriptions des Côtes-du-Nord : 1er tour 1968 - 1er tour 1973 *

	1re Circ. St-Brieuc % 1973	écart	2e Circ. Dinan % 1973	écart	3e Circ. Loudéac % 1973	écart	4e Circ. Guingamp % 1973	écart	5e Circ. Lannion % 1973	écart
Abstentions Blancs et nuls ..	17,9	+ 1,7	17,3	— 1,7	15,4	— 0,7	16,4	0	17,9	— 0,2
PCF	18,0	+ 5,5	13,5	— 1,2	18,3	— 1,3	31,1	+ 4,6	22,2	+ 0,9
Extr.-gauche	21,7	— 3,6	—		10,0	— 9,8	4,9	— 1,0	3,5	— 6,2
(PSU et trotskystes)	**0,5	+ 0,5							*2,6	+ 2,6
UGSD	4,3	+ 2,9	24,3	+ 14,6	8,5	+ 8,5	6,2	— 0,3	11,6	+ 11,6
Total gauche ...	44,5	+ 5,3	37,8	+ 13,4	36,8	— 2,6	42,2	+ 3,3	39,9	+ 8,9
Divers droite ...	2,6	+ 2,6	6,1	+ 6,1	4,7	+ 4,7	3,6	— 22,4	6,2	— 24,0
Majorité	35,0	— 4,9	38,8	— 17,8	43,5	— 1,0	37,8	+ 19,1	35,9	+ 16,8
Total droite	37,6		44,9		48,2		41,4		42,1	

* Les pourcentages sont calculés par rapport aux inscrits.
** Candidats trotskystes.

son électorat, et à Saint-Brieuc, où ne se pose pas le problème de la restructuration des droites, la progression de la gauche, plus faible dans son ensemble, résulte essentiellement des gains du PCF bénéficiant d'une redistribution des électorats à l'intérieur de la gauche.

Ces variations importantes de la progression de la gauche et son inégale répartition entre les forces qui la composent, se retrouvent au sein des circonscriptions au niveau cantonal. Elles ne s'expliquent pas uniquement par le caractère artificiel du cadre politique que constituent les circonscriptions électorales. On peut se demander si cette diversité d'évolution n'est pas en relation avec la localisation des récents conflits sociaux.

Si elle existe, cette relation n'est pas aisée à mesurer. Il ne s'agit pas, et à cet égard on n'est guère surpris, d'une relation directe entre le déroulement de conflits « durs » et le vote à gauche en 1973. A Saint-Carreuc (grève de Big-Dutchman), à Plémet (grève des Kaolins), à Loudéac (grève d'Olida), les électorats s'organisent selon la tendance générale relevée au niveau du canton. Dans ces communes, la sensibilisation de l'opinion aux conflits qui s'y sont déroulés, comparable, toutes proportions gardées à celle du Joint, n'a pas entraîné de modifications dans un rapport de forces traditionnellement favorable à la droite [64].

64. En revanche, à Erquy (canton de Pléneuf), le conflit des pêcheurs de coquilles Saint-Jacques (mars 1972) pourrait être à l'origine des gains importants du PCF aux dernières élections. Mais dans cette commune, dont le maire est communiste et qui accorde déjà un haut niveau de suffrages au PCF en 1967 et 1968, la progression de celui-ci (32 % par rapport à 1967), ne bouleverse pas l'équilibre établi et ne fait que renforcer une situation déjà majoritaire.

Tableau 21. La situation de la gauche en 1973 dans les 19 cantons où la solidarité au Joint est la plus forte *

	Total Gauche 1973	Indice d'évolution 1973/1968	PCF 1973	Indice d'évolution 1973/1968	Candidats trotskystes en 1973	PSU 1973	Indice d'évolution 1973/1968	PS 1973	Indice d'évolution 1973/1968	Total Gauche non-communiste	Indice d'évolution 1973/1968
St-Brieuc - Nord	47,9	112	20,5	153	0,6	22,3	90	4,5	321	27,4	93
St-Brieuc - Sud	47,0	107	20,5	131	0,6	23,2	85	3,8	292	27,6	94
Lamballe	39,5	118	10,9	157	0,5	23,8	87	8,6	614	32,9	107
1re circonscription	44,5	113	18,0	146	0,5	21,7	86	4,3	307	26,5	97
Dinan-Est	44,6	158	12,7	93	—	—	—	21,9	275	21,9	275
Dinan-Ouest	45,0	148	19,1	91	—	—	—	26,1	288	26,1	288
Matignon	35,1	148	12,0	86	—	—	—	23,2	230	23,2	230
Plancoët	40,2	163	10,3	72	—	—	—	29,9	272	29,9	272
2e circonscription	37,8	154	13,5	94	—	—	—	24,3	250	24,3	250
Rostrenen	44,7	97	30,0	93	—	6,7	46	8,0	0	14,7	104
St-Nicolas-du-Pelem	44,3	92	32,3	84	—	5,1	53	6,9	0	12,0	125
Corlay	43,5	93	18,6	96	—	10,8	39	14,1	0	24,9	91
Loudéac	33,1	97	13,5	113	—	11,5	52	8,1	0	19,6	89
3e circonscription	36,8	93	18,3	94	—	10,0	50	8,5	0	18,5	93
Guingamp	44,5	106	33,9	125	—	3,8	46	6,7	120	10,5	79
Bégard	42,8	92	31,0	103	—	17,2	38	3,7	41	20,9	69
Maël-Carhaix	48,3	105	39,3	105	—	3,3	61	5,7	146	9,0	123
4e circonscription	42,2	111	31,1	118	—	4,9	83	6,2	95	11,1	90
Lannion	45,1	145	17,6	90	2,0	4,7	40	20,8	0	27,5	233
Paimpol	34,0	127	18,5	111	2,5	5,7	59	7,3	0	15,5	160
Plestin-les-Grèves	48,0	118	34,4	101	1,1	2,4	34	10,1	0	13,6	200
Perros-Guirec	40,0	137	20,3	96	2,0	5,9	69	11,8	0	19,7	222
Tréguier	35,2	107	20,4	99	1,9	2,7	24	10,2	0	14,8	136
5e circonscription	39,8	122	22,2	104	2,0	4,1	42	11,6	0	17,7	180

Cette absence de liaison apparente entre luttes sociales et résultats électoraux n'épuise pas le débat en ce qui concerne l'articulation entre lutte économique et lutte politique. Les conflits sociaux en eux-mêmes ne constituent qu'une des manifestations de la lutte économique. L'articulation qui nous intéresse peut n'apparaître qu'au niveau plus général des mouvements de soutien qui les accompagnent.

De la carte cantonale représentant la ventilation des dons en faveur des grévistes du Joint (cf. p. 162) dans les Côtes-du-Nord, on a retenu les dix-neuf cantons dont la contribution financière a été la plus élevée. Le tableau précédent permet d'apprécier pour chacun d'entre eux la progression de la gauche par rapport à la moyenne de la circonscription à laquelle il appartient.

Il ressort tout d'abord de ce tableau que, dans la majorité des cantons qui ont accordé un fort soutien financier au Joint, la gauche progresse proportionnellement plus que dans l'ensemble de la circonscription et atteint un niveau souvent supérieur à celui de la moyenne départementale (41 % des inscrits). Toutefois la règle n'est pas absolue et ne permet pas de parler d'une exacte corrélation entre, d'une part, le montant de la solidarité financière au Joint et la progression de la gauche en 1973, d'autre part.

En second lieu, la répartition des gains de la gauche entre les différentes forces qui la composent s'organise aussi suivant les mêmes tendances que celles que l'on observe dans l'ensemble de la circonscription. La sensibilité particulière de ces cantons au récent conflit du Joint, n'induit pas un comportement spécifique des électeurs par rapport à l'environnement géographique ; les tendances générales de la circonscription s'en trouvent seulement accusées.

Enfin, et c'est là le phénomène le plus intéressant, le recul général du PSU, déjà observé au niveau départemental, s'accuse encore dans ces cantons. En dépit du rôle de premier plan joué par ce parti dans l'organisation du soutien au Joint, le PSU connaît des revers au moins égaux et parfois supérieurs à la moyenne de la circonscription dans les cantons où le soutien a été le plus fort. Les cantons de la 1re circonscription de Saint-Brieuc et de la 4e circonscription de Guingamp sont encore ceux où les candidats PSU résistent le mieux. En revanche, dans la circonscription de Loudéac où le candidat — G. Caro — a eu personnellement un rôle actif dans l'organisation du soutien des grèves du Joint et des Kaolins et a réalisé, en 1968, un meilleur score que le candidat communiste, la régression du PSU en 1973 est une des plus sensibles du département [65]. Les pertes les plus sévères se trouvent dans les cantons bretonnants de l'Ouest de la circonscription où la gauche surtout communiste est traditionnellement la mieux

65. Indice d'évolution du PSU de 50 pour l'ensemble de la circonscription contre seulement de 39 à 53 pour les cantons où la solidarité a été la plus forte.

implantée. Dans les cantons conservateurs de l'Est qui constituent les zones de forces du PSU en 1968, les pertes de G. Caro sont moins importantes. Les électeurs de ces cantons semblent avoir été plus sensibles au rôle joué par les militants PSU que ceux des cantons où existe une tradition de gauche.

Dans la circonscription de Lannion, où cinq des onze cantons qui la composent ont fait preuve d'une solidarité particulièrement forte aux grévistes du Joint et où se trouvent des militants du CDJA et de la CFDT très actifs (cf. *supra*, p. 64), le PSU connaît ses plus lourdes pertes. La relation qui lie les meilleurs scores du candidat trotskyste aux pertes les plus sévères du candidat PSU, laisse supposer un déplacement d'une partie de l'électorat de ce dernier vers l'extrême-gauche [66].

Phénomène d'ensemble encore accentué dans les régions où les luttes économiques ont rencontré le plus fort soutien, la perte d'audience du PSU en 1973 témoigne de l'inaptitude de ce parti à tirer profit au plan politique de l'activité de ses militants lors des récents conflits sociaux, qu'il s'agisse de la tendance « réformiste » du parti que représente Y. Le Foll à Saint-Brieuc ou de la tendance la plus « radicale » qu'incarne à l'époque G. Caro à Loudéac.

En fait, la progression de la gauche dans les Côtes-du-Nord en 1973 se fait essentiellement au bénéfice de deux partis qui se réclament tous deux du programme commun de gouvernement de la gauche. Selon les circonscriptions, le PCF et le PS profitent à la fois ou séparément de la perte d'audience du PSU local et des réticences d'une partie des électeurs centristes de 1968 à approuver le ralliement des notables à la majorité.

A Dinan et dans une moindre mesure à Lannion, c'est aux gains importants des candidats de l'UGSD que la gauche doit sa progression en 1973. Il s'agit des deux circonscriptions où la prédominance du bloc conservateur en 1967 et 1968 est la plus nette. Dans les deux cas, les notables élus comme PDM en 1968 se présentent sous l'étiquette CDP en 1973.

Dans la circonscription de R. Pleven, le succès du candidat socialiste [67] paraît résulter d'un double transfert : transfert de la fraction de l'électorat du député sortant qui refuse l'intégration à la majorité et transfert d'une partie de l'électorat communiste [68] qui se reporte sur le candidat de la gauche le mieux placé pour battre le Garde des Sceaux. Le candidat socialiste réalise ses

66. Dans la circonscription de Guingamp les gains importants du PSU dans le canton de Bégard s'expliquent sans doute par le fait que le maire du chef-lieu de canton est le candidat PSU de 1973.

67. Le succès de C. Josselin en 1973 a sans doute été préparé par l'implantation depuis 1970 de nouvelles sections socialistes. Selon un des responsables de la fédération PS des Côtes-du-Nord, les sections de la région dinanaise représentent plus d'un tiers des effectifs de la fédération.

68. En 1968, en l'absence de candidats du PSU ou de l'UGSD, le candidat du PCF est le candidat unique de la gauche dès le premier tour de scrutin.

meilleurs scores dans trois cantons — Ploubalay, Plancoët et Dinan-Ouest — tous atteints par la crise économique locale (cf. *supra*, p. 45, note 60) et où, en 1968, R. Pleven perd le plus de voix par rapport au total des suffrages de la droite en 1967, en dépit d'une conjoncture nationale et locale [69] qui lui est particulièrement favorable.

Dans la circonscription de Lannion, à la différence de Dinan, le PCF déjà fortement implanté maintient ou améliore encore ses positions dans la majorité des cantons. Les gains du PS, surtout importants dans les cantons côtiers où la solidarité au Joint a été la plus marquée, se réalisent aux dépens d'une partie de l'électorat centriste de P. Bourdelles et de l'électorat du candidat PSU.

Ces transferts apparents d'une partie de l'électorat PSU vers le PS se retrouvent dans l'Ouest de la circonscription de Loudéac où se situent trois des quatre cantons où la solidarité au Joint a été la plus élevée (cf. *supra*, p. 146). A Lannion comme à Loudéac, la concurrence au sein des formations de la gauche non communiste en 1973 s'est dénouée au profit, non pas du parti le plus actif dans les récentes luttes sociales, mais au profit de celui qui, absent au moment des conflits sociaux, peut se réclamer du programme commun de gouvernement de la gauche [70].

L'attrait que semble exercer la perspective d'union de la gauche sur une frange de l'électorat PSU se manifeste aussi dans les circonscriptions de Guingamp et Saint-Brieuc. Mais dans ces deux cas, où la gauche dans son ensemble est mieux implantée, c'est le PCF qui en bénéficie. La circonscription de Guingamp lui est traditionnellement la plus favorable. L'influence du PCF est déterminante dans les cantons ruraux du Sud-Ouest et décroît au Nord-Est de Guingamp (cf. *infra*, p. 164). A Saint-Brieuc, le PCF ne vient qu'au second rang des forces de gauche, après le PSU.

En dépit de la diversité des niveaux d'implantation du Parti communiste dans ces deux circonscriptions, l'analyse de sa progression fait apparaître un phénomène identique : tout en se maintenant sur des positions élevées dans les régions déshéritées qui lui sont acquises de longue date, le PCF élargit son audience en 1973 dans les cantons qui participent plus directement à la richesse économique du département et où la concurrence de la gauche non communiste est la plus vive.

Examinés en fonction des résultats de 1967, les mouvements au sein de la gauche en faveur du PCF vont au-delà d'une simple correction des revers subis en 1968, dont les candidats PSU avaient en partie profité.

<hr />

69. Alors qu'en 1967 un candidat UDR a été opposé à R. Pleven, ce dernier bien qu'encore non rallié, est le seul candidat de la droite en 1968.

70. Si le PS est présent dans les comités de soutien du Joint et des Kaolins où le représentent quelques dirigeants de la fédération des Côtes-du-Nord, la faiblesse de ses effectifs militants le tient à l'écart d'une participation active à l'organisation des mouvements de soutien.

Dans la quatrième circonscription, à Pabu (canton de Guingamp), municipalité PSU où s'est très tôt manifestée la solidarité aux grévistes du Joint (cf. *supra*, p. 55) et où en 1967 le candidat de la FGDS devance nettement celui du PCF, le rapport de forces s'inverse en 1973 en faveur du candidat communiste, en dépit de la double concurrence de l'UGSD et du PSU [71].

Dans la circonscription de Saint-Brieuc, on observe des transferts de même nature dont l'ampleur ne remet toutefois pas en cause les rapports de forces établis antérieurement en faveur du PSU, seul parti crédible de la gauche non communiste. A Saint-Donnan (canton de Saint-Brieuc-Midi) le PCF triple ses suffrages entre 1967 et 1973 (5 % des inscrits en 1967 ; 15 % en 1973) tandis que le PSU, qui représente l'essentiel de la gauche en 1967 (31 % des inscrits), régresse de dix points en mars 1973 (21 % des inscrits) [72]. Dans le même canton, à Plédran où le PCF et le PSU arrivent à égalité en 1967 (PCF : 21 % ; PSU : 19 %), le candidat communiste devance nettement celui du PSU en 1973 (PCF : 29 % ; PSU : 19 %).

Les difficultés du PSU à capitaliser la part prise dans les luttes économiques récentes se retrouvent même dans la commune de Saint-Brieuc où s'est déroulé le conflit du Joint et dont Y. Le Foll est maire [73]. La personnalité d'E. Quemper — maire-adjoint de Saint-Brieuc, conseiller général du département — qui a participé activement à l'organisation de la solidarité aux grévistes du Joint, rétablit de fait au niveau des candidatures l'égalité du combat électoral entre les deux principales formations de la gauche [74].

La volonté du maire de Saint-Brieuc de conserver pendant la grève du Joint une image susceptible de séduire l'électorat social-démocrate de la circonscription, au prix d'une rupture avec l'aile gauche du PSU, jointe à l'ambiguïté de sa candidature au regard de l'accord national d'union de la gauche [75], expliquent la désaffection de l'aile gauche de son électorat en 1973.

71. En 1967, le candidat de la FGDS recueille 23,6 % des suffrages par rapport aux inscrits, alors que le PCF n'en obtient que 14 %. En 1973, le candidat communiste obtient 25,9 % des inscrits, contre 18,8 % pour le socialiste et 5 % pour le PSU.

72. La présence d'un candidat PS en 1973 et les voix qu'il recueille ne suffisent pas à rendre compte de la baisse d'audience du candidat PSU.

73. En 1968, Y. Le Foll obtient 7 119 voix sur 27 755 inscrits à Saint-Brieuc ; en 1973, il n'en obtient que 7 014 sur 29 889 inscrits, ce qui, compte tenu de l'accroissement du nombre des électeurs inscrits entre les deux consultations, constitue une chute importante.

74. Cf. *supra*, p. 122.

75. En 1967, la FGDS ne présente pas de candidat contre Y. Le Foll auquel elle accorde son soutien dès le premier tour. En revanche, en 1973, comme déjà en 1968, l'UGSD oppose un candidat socialiste au maire de Saint-Brieuc, sanctionnant ainsi la marginalité de la candidature d'Y. Le Foll par rapport à l'union de la gauche au premier tour. La candidature socialiste apparaît surtout comme une position de principe et ne remet pas en cause la crédibilité de la candidature du maire de Saint-Brieuc pour l'électorat de la gauche non communiste. Toutefois, le candidat PS, en obtenant 4,4 % des suffrages par rapport aux inscrits, double le nombre de ses électeurs par rapport à 1968 et réalise l'essentiel de ses voix à Saint-Brieuc même, dans le fief d'Y. Le Foll.

En revanche, en préservant son image de notable et de bon gestionnaire, Y. Le Foll compense une partie de ces pertes en ralliant — comme en 1968 en l'absence de candidat centriste d'opposition — une fraction de l'électorat modéré hostile à la majorité [76]. C'est dans ce sens que s'interprètent les seuls gains du candidat PSU réalisés au premier tour dans les cantons centristes de Lamballe et d'Etables-sur-Mer.

Au deuxième tour de scrutin — et c'est là le second aspect de l'ambiguïté de la candidature d'Y. Le Foll — le maire de Saint-Brieuc doit sa réélection à sa qualité de candidat unique de la gauche qui lui assure le report massif de l'électorat communiste. À travers la discipline de vote de l'électorat PCF, il retrouve l'aile gauche de son électorat de 1968 et distance de quelques voix le député sortant de la majorité grâce aux résultats obtenus à Saint-Brieuc et dans les communes de l'agglomération urbaine [77].

Deux phénomènes caractérisent principalement la situation de la gauche dans les Côtes-du-Nord en mars 1973 : son inégale progression à l'intérieur du département et l'importance des mouvements de voix entre les forces qui la composent.

L'analyse électorale ne permet pas de conclure que la popularisation des luttes récentes est en relation directe avec la progression de la gauche en 1973. La relation, si elle existe, n'a pu être clairement établie à l'aide des matériaux et des méthodes à notre disposition. En revanche, la redistribution des électorats à l'intérieur de la gauche montre que l'enjeu politique national du scrutin — succès ou échec de l'union de la gauche — a pesé plus fortement dans le choix des électeurs entre les différentes formations de la gauche, que les rôles respectifs joués par ces derniers dans l'animation des luttes économiques locales.

---

76. Le succès d'Y. Le Foll au premier tour des élections de 1968 tient déjà en partie au report sur son nom d'une partie des électeurs centristes de 1967, privés de leur candidat. Le cas est particulièrement net dans le canton de Pléneuf dont le conseiller général est candidat du Centre démocrate en 1967 et où Y. Le Foll réalise un de ses meilleurs scores en 1968.

77. Dans tous les cantons ruraux de la circonscription, le député sortant URP devance le candidat PSU.

CONCLUSION

Conflit dur, conflit dont l'animation — prise en charge quasi-exclusivement par la CFDT — révèle les divergences de fond opposant cette centrale à la CGT dans la conduite des luttes après 1968, la grève du Joint français se caractérise d'abord par le mouvement de solidarité qui accompagne l'affrontement de huit semaines entre ouvriers briochins et direction parisienne.

DES INCIDENCES POLITIQUES LIMITÉES AU REGARD DE L'AMPLEUR ET DU CONTENU DU MOUVEMENT DE SOLIDARITÉ

Le mouvement de solidarité qui accompagne la grève n'est pas nouveau dans son principe. Déjà en Bretagne, à l'occasion de la fermeture des Forges d'Hennebont, ou dans d'autres régions, lors de la grève de Decazeville par exemple, des mouvements de solidarité se manifestent, associant ouvriers, paysans, petits commerçants, enseignants, lycéens, tous également concernés par les conséquences de crises économiques régionales. En revanche, ce qui est nouveau dans le mouvement accompagnant la grève du Joint, c'est le contenu et l'ampleur de la solidarité. Parallèlement au soutien des travailleurs locaux qui, ici comme dans d'autres conflits, demeure essentiel et s'explique d'abord par une solidarité de classe, des tentatives nouvelles s'affirment pour orienter systématiquement le développement de la solidarité paysanne vers un contenu qui prenne en charge cette dimension de classe.

Original quant à sa signification, ce mouvement de soutien est également remarquable par son ampleur qui, dès la troisième semaine de grève, dépasse le cadre départemental. Le sentiment plus ou moins avoué d'une identité bretonne n'est pas sans lien avec cette ampleur.

L'importance du phénomène et le succès obtenu par les grévistes au terme des négociations laissent auguer favorablement des prolongements politiques du conflit, or les incidences directes et immédiates de la lutte du Joint paraissent limitées.

Dans l'entreprise, l'extériorité des gauchistes et les limites de la lutte économique menée par la CFDT ne tardent pas à apparaître. L'incapacité des organisations trotskystes et maoïstes à s'implanter dans l'entreprise à l'issue du conflit montre cette fois encore que la grande majorité de la classe ouvrière ne se reconnaît pas dans ces groupes, aussi actifs soient-ils. Dans le cas du Joint, la Ligue communiste demeure — par l'appartenance sociologique de ses militants, par le type de discours qu'elle véhicule et la stratégie qu'elle propose — impuissante à instaurer un débat sur les prolongements politiques de la grève, condamnée au rôle limité d'appoint tactique à un moment de la lutte revendicative. De son côté, pour avoir ignoré la nécessité d'un travail d'organisation et de réflexion politique, la CFDT voit son audience décroître au Joint, une fois l'euphorie de la victoire passée. Ce recul montre, à l'évidence, que la prise en charge et l'expérience des luttes économiques n'entraînent pas spontanément une prise de conscience politique accrue [1]. En définitive, dans les mois qui suivent le conflit, la section CFDT apparaît moins revendicative que son homologue cégétiste, et aucun groupe gauchiste ne parvient à s'organiser dans l'entreprise. En revanche, les responsables de la section CGT — formés politiquement par leur fédération dès la fin du conflit — prennent l'initiative de l'action, une partie d'entre eux prolongeant leur engagement syndical au niveau politique dans le cadre de la cellule communiste créée après la reprise du travail. L'absence de formation et d'encadrement politiques des militants cédétistes explique que la section se retrouve démunie devant la nouvelle direction mise en place après la grève. Cette faiblesse de la CFDT est accentuée, au Joint, par le décalage qui existe entre les animateurs de la section et sa base. Après la grève à laquelle ils participent activement, les jeunes ouvriers adhérents cédétistes — nombre d'entre eux étant nouveaux venus au militantisme syndical — acceptent de plus en plus difficilement d'être tenus à l'écart des postes de responsabilité de la section, détenus par des militants plus anciens, dont beaucoup sont des techniciens ou appartiennent à la petite maîtrise de l'usine. Le faux pas des délégués CFDT au comité d'établissement — leur vote, en juin 1973 et sur la demande de la nouvelle direction, du licenciement d'un délégué cégétiste — sert de révélateur à ce malaise au sein de la section CFDT. La création en avril 1974 d'une section CFTC par des anciens adhérents cédétistes, dont l'ex-secrétaire du comité d'établissement [2], permet à la CFDT de mettre fin à ses ambiguïtés et de retrouver, à ce prix, l'homogénéité politique nécessaire à son action.

On décèle chez les responsables cédétistes de l'entreprise qui

1. Cf. sur ce point le débat engagé dans le numéro spécial de *Politique-aujourd'hui* (mars-avril 1973) consacré aux « nouvelles luttes ouvrières » : « Si nous avons souligné l'importance des luttes ouvrières pour le développement de la conscience de classe, il faut bien voir que le cheminement de la prise de conscience de classe n'est pas linéaire et que le passage de la conscience économique à la conscience politique n'est pas simple », J. Gallus et G. Hercet et la réponse polémique de C. Berger, p. 87-102.

2. Aux élections pour le renouvellement du comité d'établissement, en mai 1974, la section CFTC, nouvellement créée, obtient 17,3 % des suffrages. La CFDT, qui en avait obtenu 54 % en octobre 1972, n'en recueille plus que 40,5 %. La CGT obtient 35 %, accusant un léger recul.

ont animé le conflit une évolution inverse de celle qui caractérise un certain nombre de militants de base. Alors que les premiers glissent vers une collaboration de classe, les seconds s'interrogent sur les ambiguïtés entretenues durant la grève. L'importance du rôle joué par les structures départementales, l'aspect spectaculaire des différentes actions engagées, la coloration extrémiste du discours tenu par les principaux animateurs du mouvement et la constitution d'un rapport de forces extérieur à l'entreprise expliquent que certaines lacunes aient difficilement été perçues pendant le déroulement du conflit où on a assisté très tôt à des interférences permanentes entre ce qui se passait au plan de l'entreprise, au plan local et au plan régional [3].

A l'extérieur de l'entreprise, l'impact de la grève auprès des catégories sociales qui ont pris part au mouvement de solidarité reste difficile à mesurer. Soumises aux sollicitations multiples et parfois contradictoires des forces politiques et syndicales engagées à des titres divers dans le conflit, ces catégories témoignent-elles d'une prise de conscience politique durable, dans le sens et à la mesure de leur soutien ? Si l'on s'en tient au seul critère électoral, l'examen des résultats des élections législatives de mars 1973 montre qu'il n'existe pas de relation mécaniste entre la localisation géographique de la solidarité et la progression de la gauche dans le département. Par contre, la progression globale de cette dernière témoigne d'un renforcement de la volonté de changement politique, renforcement qui n'est peut-être pas sans relation avec la popularisation des récentes luttes économiques locales. De plus, la redistribution des voix à l'intérieur de la gauche au détriment du PSU — particulièrement actif dans ces luttes — au bénéfice du PC et du PS — qui se réclament l'un et l'autre du Programme commun — laisse entendre que l'existence d'un projet politique de gauche répond aux attentes d'une partie non négligeable de l'électorat, par ailleurs engagée dans les luttes économiques locales. Cette impression est confirmée par les résultats obtenus par le candidat commun de la gauche à l'élection présidentielle de 1974. En stabilisant au premier tour les voix recueillies, non seulement par le PC et le PS, mais aussi par

---

3. « Il est temps de reconnaître aujourd'hui que lors du conflit " historique " de 1972, les observateurs attentifs n'avaient pas été seulement frappés par la combativité des travailleurs : ils l'avaient été aussi par la constatation d'une certaine immaturité. Celle-ci était due à divers facteurs : un relatif manque de pratique, dans une entreprise rétrograde, au cœur d'une région peu industrialisée, c'est-à-dire n'ayant qu'une expérience limitée des luttes ouvrières ... ; une absence de formation syndicale sérieuse ; la politique répressive du patron Donnat, basée sur le refus systématique du fait syndical ; un important turn-over. Tout cela ne favorisait pas l'organisation d'une section syndicale très solide. Comme c'est souvent le cas, l'aspect spectaculaire du conflit, auquel la grande presse a surtout été sensible, a donné une vision quelque peu faussée de la situation réelle. L'environnement local, exceptionnellement favorable (présence à Saint-Brieuc d'une municipalité PSU, intense solidarité à l'échelon régional due au " malaise breton ") a servi à la fois à infléchir le cours des événements et à dissimuler les faiblesses existantes au niveau de l'entreprise ». (« Le Joint français, deux ans après... », *Syndicalisme-Magazine*, 1501, juil.-août 1974).

le PSU l'année précédente, François Mitterrand a clairement montré que l'électorat PSU des Côtes-du-Nord, maintenu à l'écart de l'union de la gauche en 1973 par une décision des instances du parti, était dans sa grande majorité prêt à rejoindre le mouvement de la gauche unie sur la base de l'alliance socialo-communiste [4]. Cette dynamique se poursuit au second tour de la consultation où, pour la première fois sous la Cinquième République, la gauche atteint dans les Côtes-du-Nord la majorité absolue des suffrages exprimés.

Les incidences politiques de la grève du Joint ne sauraient être circonscrites à ces acquis immédiats et directs. Les divergences apparues au cours du déroulement du conflit et la portée limitée des résultats politiques obtenus par ceux-là mêmes qui étaient les plus favorables au durcissement de la grève influencent en retour les stratégies en présence, tant au niveau national que dans l'entreprise.

DES INCIDENCES POLITIQUES DONT LES LIMITES MÊMES APPELLENT LEUR PROPRE DÉPASSEMENT

La grève du Joint français constitue un des temps forts de la stratégie de « développement des luttes » soutenue par la majorité des militants de la CFDT en 1971 et 1972. Mais, au même moment, les heurts se multiplient entre grévistes et non-grévistes dans plusieurs conflits, une fraction du patronat misant sur ces affrontements. L'échec relatif des employées des Nouvelles Galeries de Thionville en avril-juin 1972 vient atténuer l'impact des travailleurs briochins ; lorsque ces derniers reprennent le travail, après deux mois de grève, certains militants commencent à s'interroger, dans la CFDT, sur les limites d'une « radicalisation » des luttes syndicales en l'absence d'un projet politique clair. C'est dans ce contexte qu'intervient, le 26 juin 1972, la signature du programme commun de gouvernement [5]. Dans son discours de rentrée devant les militants cégétistes de la région parisienne, le 7 septembre suivant, Georges Séguy souligne l'importance que

4. Les résultats de la ville de Saint-Brieuc, où le candidat commun ne retrouve pas les voix obtenues par Y. Le Foll en 1973, paraissent démentir cette hypothèse. En fait, ce décalage est principalement dû à l'hétérogénéité de l'électorat du maire de Saint-Brieuc qui recouvre non seulement les voix du PSU local mais aussi celles des centristes d'opposition. Ces derniers, privés de candidat depuis les élections de 1967, se reportent naturellement sur Valéry Giscard d'Estaing à l'occasion du scrutin présidentiel.

5. Signature qui répond, au lendemain de 1968, aux aspirations d'une majorité de la classe ouvrière. Cf. ADAM (G.), BON (F.), CAPDEVIELLE (J.), MOURIAUX (R.), L'ouvrier français en 1970, Paris, A. Colin, 1970, p. 157 et suiv. : 60 % des ouvriers interrogés dans cette enquête sont favorables à un accord de ce type. Ce pourcentage s'élève encore si l'on isole les réponses des sympathisants (électeurs déclarés aux élections professionnelles) de la CGT et de la CFDT (respectivement 73 et 61 %).

son organisation accorde à ce programme [6]. Le 14 octobre, le bureau national de la CFDT, s'appuyant sur la distinction « essentielle » des fonctions des syndicats et des partis, répond en refusant de soutenir le Programme commun, préférant « agir pour créer les conditions d'un puissant mouvement conscient des travailleurs » [7]. De fait, la CFDT continue dans les mois qui suivent d'apparaître à la tête des conflits les plus durs : chez Pechiney à Noguères, chez Salamander à Romans, chez Cousseau à Cerizay et surtout chez Lip à Besançon. Mais, par suite de l'existence du Programme commun, le contexte politique général dans lequel ces luttes s'insèrent est très différent de celui du Joint français : l'accord entre le PC, le PS et les radicaux de gauche donne désormais aux luttes syndicales une perspective politique crédible, même si cet accord n'englobe pas la totalité des aspirations formulées par les travailleurs lors des conflits mentionnés. Les contradictions croissantes d'une majorité inquiète qui paraît avoir épuisé ses ressources et les spéculations sur l'état de santé du président Pompidou qui, après avoir été le fait de la classe politique, font bientôt partie du domaine public contribuent largement à véhiculer l'idée d'une possible relève politique et rendent encore plus crédible l'accord réalisé entre les trois principales formations de gauche.

S'appuyant sur cet accord, et tirant par ailleurs les leçons des maladresses commises par ses responsables dans la conduite de l'action au Joint français, la CGT, qui a pris conscience de la nécessité de ne pas abandonner le terrain des luttes sociales au profit d'un terrain exclusivement politique, adopte une attitude plus offensive dans les grèves. Ses interventions dans le conflit Lip, puis chez Rateau à La Courneuve, sont à cet égard significatives. Elles autorisent à penser que la centrale de la rue La Fayette, parce qu'elle n'exclut pas la perspective d'une échéance électorale anticipée, sans pour autant tenir celle-ci pour absolument certaine, estime que le meilleur moyen de tenir ses troupes, dont certains éléments manifestent des signes d'impatience, est encore d'encadrer les luttes et non de s'opposer à leur développement. C'est aussi une des conditions à réunir pour éviter les risques de déviation qui auraient pour effet d'hypothéquer l'avenir. Celui-ci est en effet fonction du degré de confiance manifesté à l'égard des formations impliquées dans le Programme commun

6. « Rien ne peut plus être comme avant ; nul ne peut faire comme si le programme commun n'existait pas ; cela est valable, en tout premier lieu, pour l'ensemble du mouvement syndical représentatif. Nous souhaitons que les organisations syndicales s'entendent pour soutenir le programme commun de la gauche sur la base de leurs préoccupations syndicales communes. Ce souhait s'adresse tout d'abord à la CFDT. Nos débats sur le capitalisme et le socialisme revêtiraient un caractère platonique si, par hypothèse absurde, ils se poursuivaient indépendamment de l'existence du programme commun. » Le Monde, 9 sept. 1972.

7. « La position de la CFDT sur le programme PS-PC », Syndicalisme Hebdo, 21 sept. 1972.

par les catégories sociales qui ne s'estiment pas directement concernées par les changements préconisés dans ce programme. Dans le même temps, le Parti communiste souligne l'importance des luttes dans le développement d'une prise de conscience de classe [8] et s'efforce de relancer la lutte politique dans l'entreprise à partir des revendications économiques et sociales [9].

Mais l'existence du Programme commun ne conduit pas seulement les militants communistes et cégétistes à modifier leur pratique syndicale. Dans un second temps, les échéances électorales qui l'accompagnent pèsent à leur tour sur la pratique politique des militants cédétistes.

La campagne de l'élection législative de mars 1973 relance la dynamique créée en juin 1972 en développant sa dimension unitaire. La lutte politique, dans sa forme électorale et sur un enjeu national, s'impose progressivement, donnant l'impression de l'emporter sur les enjeux partiels des conflits sociaux, quelles que soient par ailleurs la durée et la dureté de ces derniers. Malgré les réserves de certains de ses militants qui opposent facilement luttes électorales et luttes syndicales, la CFDT ne peut rester à l'écart de ce mouvement, faute d'avoir à lui opposer une stratégie pour le moyen terme, ce qui risque de la couper de la masse de ses adhérents et de ses sympathisants ; Edmond Maire maintient la cohésion de son organisation en se prononçant pour un « soutien critique » aux forces de gauche, la CFDT n'intervenant pas directement dans la campagne [10]. L'ambiguïté demeure, au sein de la confédération, entre une majorité qui continue de privilégier le développement d'une « prise de conscience majoritaire » à travers les luttes syndicales, et une minorité qui, à l'inverse, subordonne la réalisation de cette « prise de conscience majo-

---

8. « Les luttes sont toujours décisives, en dernière analyse. ... Par la lutte, l'expérience se fait, le lien tend à s'établir entre les revendications de chacun et les revendications de tous, entre les revendications de tous et les obstacles politiques qui se dressent devant elles, entre les revendications et la question de l'Etat, entre les revendications et la bataille idéologique qui se mène autour d'elles. Plus les luttes grandissent, plus la conscience peut être prise de ce lien entre l'économique, le politique, l'idéologique. Plus la conscience de classe, en un mot, peut grandir. ... Pendant plusieurs semaines, à partir de la lutte des travailleurs de Lip, très loin au-delà d'eux, des interrogations et des réponses quand le Parti était présent, sont apparues, portant sur des questions essentielles : l'anarchie et le malthusianisme du capitalisme, son caractère inhumain, les responsabilités du pouvoir, les questions d'une autre société. » Rapport de Roland LEROY au comité central des 3 et 4 décembre 1973, L'Humanité, 4 déc. 1973.

9. « Les revendications économiques et sociales sont plus souvent accompagnées d'exigences de garanties assurant l'exercice réel des droits obtenus. Des problèmes nouveaux, la question plus angoissante pour un certain nombre de travailleurs, même très jeunes, de la sécurité du lendemain, contribuent à étendre les interrogations de caractère politique. » VIEUGUET (A.), « L'entreprise, lieu privilégié de la bataille du Parti communiste français », Economie et politique, 235, fév. 1974 (numéro spécial consacré à la lutte politique dans l'entreprise).

10. MAIRE (Edmond), « En syndicalistes, tout faire pour la victoire des forces populaires », Syndicalisme Hebdo, 1425, 28 déc. 1972, (éditorial).

ritaire » à la conquête préalable du pouvoir politique [11]. A quoi s'ajoutent l'ouverture d'un débat portant sur la nature des formations politiques susceptibles de réaliser cette conquête et une confrontation entre les partisans de la notion classique d'indépendance syndicale et ceux qui estiment urgent de poser le problème dans des termes nouveaux.

Les résultats des élections législatives confirment l'impact de l'union de la gauche en même temps qu'ils montrent — dans le cas de Saint-Brieuc mais aussi dans les autres localités où ont eu lieu des grèves dures — l'absence d'une relation mécaniste entre lutte économique et lutte électorale : de tels conflits n'entraînent pas un accroissement de l'électorat de la majorité, pas plus qu'ils n'accroissent celui de l'opposition. Lutte économique et lutte électorale apparaissent, à l'issue du scrutin, moins opposées que distinctes et complémentaires.

En intervenant dans des conflits durs — même lorsqu'elle est minoritaire et réticente devant les formes d'action employées — la CGT réduit la distance qui la sépare de la CFDT [12], d'autant que cette dernière, au congrès confédéral de Nantes [13], se démarque du gauchisme. L'aggravation de l'inflation pendant le deuxième semestre de 1973 et la campagne « contre la vie chère » élargissent ce rapprochement syndical à la FEN et l'étendent aux partis signataires du Programme commun ainsi qu'au PSU. Les divergences tactiques provoquent encore des heurts au niveau des structures de base (sections d'entreprise, syndicats, unions locales et départementales) entre la CGT et la CFDT. Pourtant, la violence de la querelle qui éclate au mois de mars 1974 entre les deux confédérations [14] apparaît, avec du recul, comme une péripétie s'expliquant par la crainte de la CGT d'être débordée et de se trouver ainsi dans l'impossibilité de mener à bien sa stratégie. Le rassemblement de la gauche politique et syndicale derrière des objectifs prioritaires immédiats (maintien du pouvoir d'achat, mesures anti-inflationnistes) prend une dimension nouvelle avec la campagne du premier mais surtout du second tour de l'élection présidentielle, mettant fin au différend qui vient d'éclater entre les deux grandes centrales ouvrières. Prenant la parole à Lyon, le 15 mai 1974, dans un meeting organisé par le PC, le PS, les radicaux de gauche, le PSU, la CGT, la CFDT et la FEN, Edmond Maire justifie la présence de son organisation en invoquant les « fonc-

11. Cf. par exemple le texte de l'union régionale Rhône-Alpes CFDT, « Syndicalisme et transition », reproduit dans *Politique-aujourd'hui*, art. cité, p. 103-116.
12. Cf. l'interview d'Edmond MAIRE au journal *Le Monde* du 30 août 1973.
13. Du 30 mai au 3 juin 1973.
14. Le 14 mars, l'Agence France-Presse diffuse une déclaration de A. Berthelot, secrétaire confédéral de la CGT, qui accuse, en termes très sévères, la CFDT de mener des « actions irresponsables » qui risquent de compromettre la possibilité d'un mouvement d'ensemble », invoquant à l'appui de sa thèse la manière dont a été conduite la grève de Moulinex et celle des Houillères de Lorraine. En répliquant sur le thème « La CGT fait un faux-pas » (*Syndicalisme Hebdo*, 1489, du 28 mars 1974), Edmond Maire donne l'impression de vouloir éviter une détérioration trop profonde des relations entre les deux centrales.

tions distinctes mais complémentaires et convergentes » des syndicats et des partis au sein du mouvement ouvrier [15]. C'est la première fois que la CFDT s'engage à ce point dans une campagne électorale, faisant abstraction de ses réticences naturelles [16]. Elle confirmera cette orientation le 27 mai en répondant favorablement, par l'intermédiaire de son bureau national, à l'appel lancé deux jours plus tôt par François Mitterrand et en invitant implicitement ses militants à apporter leur contribution à l'entreprise de rénovation de la gauche socialiste [17].

Paradoxalement, l'élection présidentielle nous ramène au Joint français : l'échec du candidat de la gauche à moins de quatre cent mille voix replace les luttes économiques au premier rang de la scène politique. Les initiatives et les actions de solidarité développées autour de la grève du Joint et d'un certain nombre d'autres conflits du même type peuvent à l'avenir prendre valeur d'exemple aux yeux des forces de gauche. Le PC ne rappelait-il pas déjà en février 1974, que

« des formes nouvelles d'action de masse combatives ont été trouvées, des formes nouvelles d'élargissement du soutien de l'opinion et de la solidarité matérielle ont montré leur efficacité. En raison de l'intervention plus massive que jamais de tous les moyens combinés du patronat et de l'Etat, de leurs tentatives de division, de répression, les problèmes du renforcement d'action des syndicats, de la conduite des mouvements avec esprit de responsabilité, de la recherche du soutien de la population, prennent une dimension nouvelle. Les aspects idéologiques et politiques des luttes sociales se mettent en relief ».

De son côté, la CFDT décidait d'inscrire à l'ordre du jour de son conseil national d'octobre 1974 le problème de la différenciation des fonctions politique et syndicale, c'est-à-dire de se pencher, à la lumière des événements qui, ces dernières années, ont contribué à modifier l'échiquier politique (signature du Programme commun, campagnes électorales de 1973 et 1974, etc.), sur une question qu'on a trouvée au cœur de tous les grands conflits qui se sont déroulés depuis 1968.

15. L'Humanité, 16 mai 1974.
16. Le sondage réalisé par la SOFRES pour le compte du Nouvel Observateur démontre clairement qu'il ne s'agit pas d'une simple manœuvre d'appareil puisqu'il apparaît que 73 % des militants CFDT ont voté le 19 mai pour le candidat de la gauche, alors qu'un an auparavant, lors du renouvellement de l'Assemblée Nationale, les cédétistes n'avaient accordé leurs voix à la gauche que dans une proportion de 62 %.
17. « Faisant suite à la campagne dynamique du candidat unique de toute la gauche, le bureau national a considéré comme un élément positif l'appel lancé par F. Mitterrand, premier secrétaire du PS, pour une restructuration politique du mouvement socialiste sur la base d'un projet commun de société. ... Cette volonté commune correspond à la stratégie d'union des forces populaires préconisée par la CFDT. Nombre de ses militants, dans le respect de l'autonomie syndicale à tous les niveaux, tiendront à apporter leur contribution spécifique et à favoriser autour d'un véritable projet de société, démocratique et autogestionnaire, la naissance de la grande force socialiste dont le mouvement ouvrier a besoin ». Motion du bureau national de la CFDT, Syndicalisme Hebdo, 1498, du 30 mai 1974.
18. VIEUGUET (A.), art cité, p. 5.

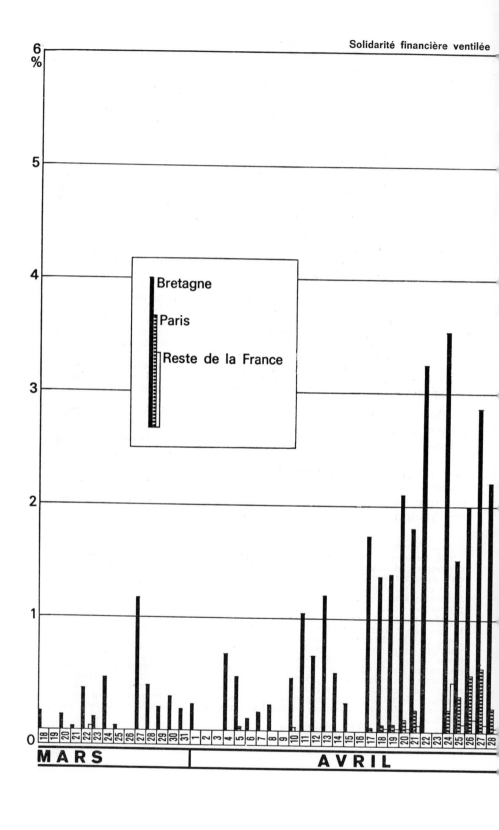

Solidarité financière ventilée

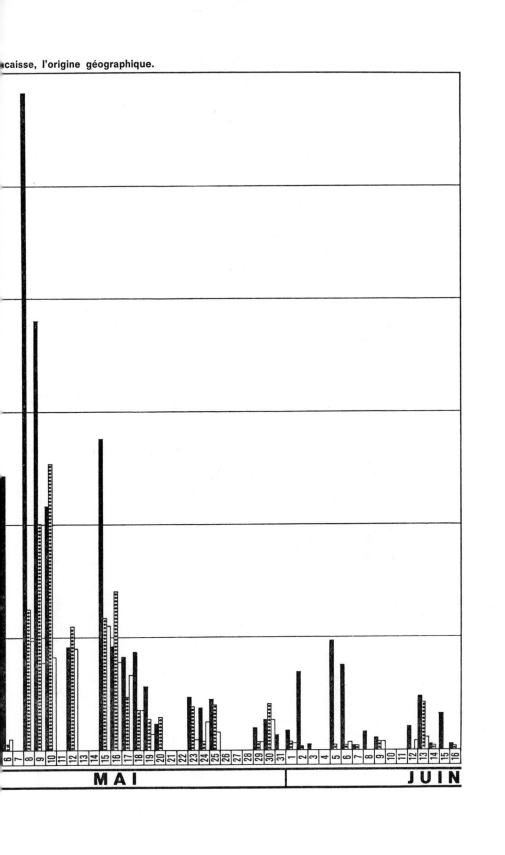

MAI · JUIN

Carte n° 1. Montant total des dons encaissés du 18 mars au 16 avril.
Solidarité en espèces seulement.
Ventilation selon l'origine cantonale, en %.

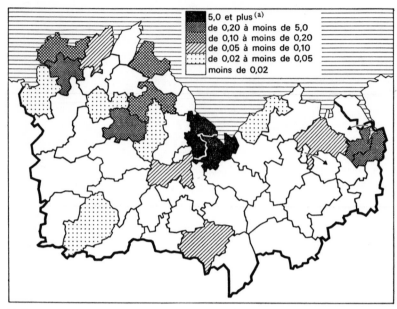

(a) Cette catégorie ne comprend que la ville de Saint-Brieuc.

Carte n° 2. Montant total des dons pour l'ensemble de la collecte.
Solidarité en espèces seulement.
Ventilation selon l'origine cantonale, en %.

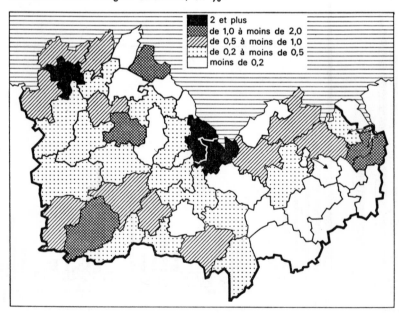

Carte n° 3. Montant des dons par habitant et par canton du 18 mars au 16 avril.
Solidarité en espèces seulement.

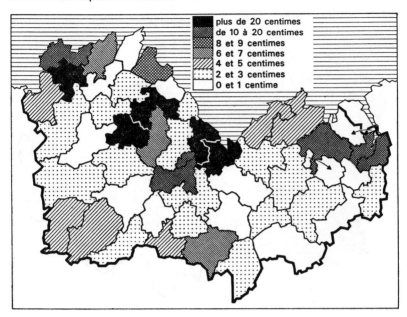

Carte n° 4. Moyenne des dons par habitant et par canton pour l'ensemble de la collecte.
Solidarité en espèces seulement.

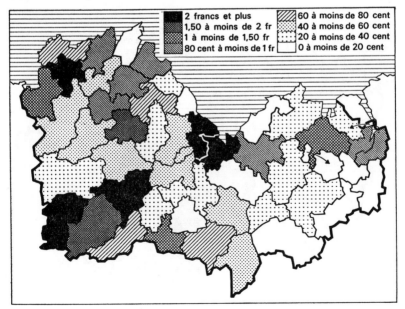

Carte n° 5. L'implantation du PCF aux élections législatives de juin 1968 dans les Côtes-du-Nord.
% de suffrages par rapport aux inscrits.

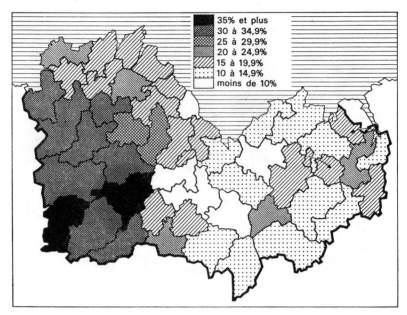

Carte n° 6. L'implantation de la gauche non communiste aux élections législatives de juin 1968 dans les Côtes-du-Nord.
% de suffrages par rapport aux inscrits.

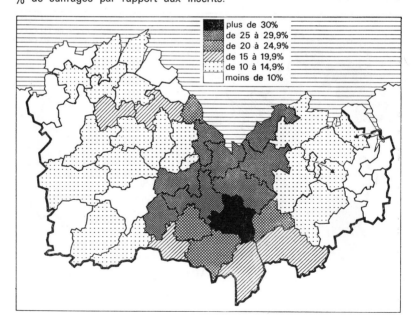

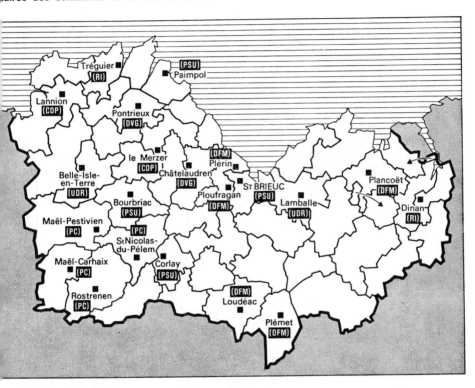

Ne sont recensés sur cette carte que les comités ayant une activité réelle.

PC . . . . Parti communiste
PSU . . . . Parti socialiste unifié
DVG . . . . divers gauche
DFM . . . . droite favorable à la majorité
RI . . . . Républicains indépendants
CDP . . . . Centre démocratie et progrès

Carte n° 8. Montant total des dons, France entière.
Ventilation selon l'origine départementale, en %.

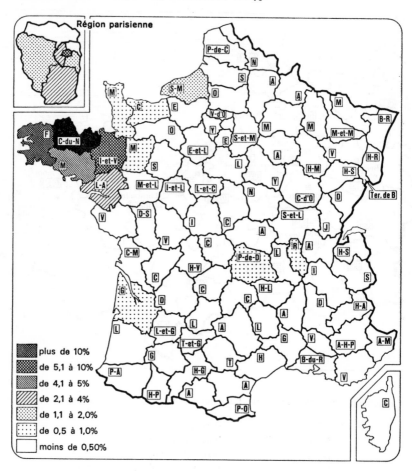

Région parisienne

plus de 10%
de 5,1 à 10%
de 4,1 à 5%
de 2,1 à 4%
de 1,1 à 2,0%
de 0,5 à 1,0%
moins de 0,50%

Achevé d'imprimer
sur les presses de
L'IMPRIMERIE CHIRAT
42540 Saint-Just-la-Pendue
en février 1975
Dépôt légal 1er trimestre 1975 N° 1200

DATE DUE